JN089257

よくわかる
ウチナーグチ

徳元英隆

沖縄文化社

- ●沖縄語が聴ける主なラジオ番組
  - 【方言ニュース】（月〜金　13：00〜13：05）
    - ラジオ沖縄（ROK：864KHz）
  - 【民謡で今日拝なびら】（月〜金　16：00〜16：57）
    - 琉球放送（RBCi ラジオ：738KHz）
  - 【民謡の花束】（日　20：00〜21：00）
    - ラジオ沖縄（ROK：864KHz）
- ●沖縄語の民話がネットで視聴できるサイト
  - 【ウチナー民話のへや】
  - （https://okimu.jp/museum/minwa/）
    - 沖縄県立博物館・美術館
- ●琉球語の音声や文字情報をネットで公開するサイト
  - 【琉球語音声データベース】
  - （http://ryukyu-lang.lib.u-ryukyu.ac.jp/）
    - 沖縄言語研究センター

は じ め に

　毎年９月 18 日は、「しまくとぅばの日」として定められています。しまくとぅばとは、沖縄の島々に伝わってきたことばの総称です。沖縄でシマといえば、それは単に島という意味ではなく、「生まれ住んでいるところ」との意味を合わせ持ちます。シマとは集落（字）であり、生まれ育った土地を指すことばなのです。いっぽうウチナーグチは、沖縄本島とその周辺の島々で話されることばのことで、王都として栄えた首里を中心にした標準沖縄語的なものといえます。

　琉球列島のことばは、奄美方言、沖縄方言、宮古方言、八重山方言、与那国方言に大きく分類され、それぞれに異なったことばが残されています。しまくとぅばには、島ごとに、集落ごとに違いや訛りがあり、しまくとぅばの話された時代は、まさに出生地を証明する手形でした。

　しかし、そのような各地のことばを一冊の本に収めることは不可能です。そこで共通沖縄語ともいうべき、首里・那覇周辺のウチナーグチを取り上げることにしました。沖縄本島中南部のことばは、他の地域でも比較的よく理解されているからです。

　沖縄文化の基層であるしまくとぅばは、芸能・文学・料理・工芸・祭祀など、固有の文化を継承するうえで不可欠なものです。「**生まり島ぬ言葉　忘りーねー　国ん　忘りゆん**」であり、われわれの母語を守り通さねば、自分が何者なのかわからなくなり、かけがえのない伝統文化の継承も途絶えてしまいます。

　また、会話の中に土地のことばが入ると、その場の雰囲気がなごやかになり話もはずみます。近年は普及目的の機運が高まり、新聞やテレビ、ラジオなどでも頻繁にしまくとぅばが取り上げられるようになってきました。

　しかし、ことばは使わねば消えてしまいます。そこで、まずは単語だけでも使うようにしたいものです。大根ではなくデークニ、肉ではなくシシ、そばではなくスバというように、日常会話の中で使うことが復活への確実な一歩となるのではないでしょうか。

■ もくじ

●カバー写真（撮影／徳元葉子）
左上／首里の獅子舞　　左下／那覇市場
右上／首里の旗頭　　右下／浜比嘉島

あいさつ

●やあ。もし。こんにちは。

　ハイサイ（男性語）

　ハイタイ（女性語）

　ハイサイ　おじさん（こんにちは、おじさん）

※出会ったときの挨拶ことばで「朝・昼・晩」いつでも使える。

....

●ごめんください。

　チャービラサイ（男性語）

　チャービラタイ（女性語）

　何ガ　アンシ　見遠サヌ（ずいぶん久しぶりだなあ）

....

●誰ですか。どちらさまですか。

　誰ヤガ

　マー　ヤミシェーガ（敬語）

　我ドゥ　ヤイビーシガ（私ですよ）

....

●あなたのお名前を教えて下さい。

　ウンジュガ　御名　習チ　クィミソーリ

　我　名前ヤ　良助　ヤイビーン（私の名前は良助です）

....

●いらっしゃい。いらっしゃいませ。

メンソーレー

イメンシェービリ（敬語）

ハイサイ　メンソーレー（こんにちは、いらっしゃい）

※宮古ではンミャーチ、八重山ではオーリトーリという。

⋯⋯⋯⋯⋯⋯⋯⋯⋯⋯⋯⋯⋯⋯⋯⋯⋯⋯⋯⋯⋯⋯⋯⋯⋯⋯⋯⋯⋯⋯⋯⋯⋯⋯⋯⋯⋯

●元気か。お元気ですか。

頑丈（ガンジュ）ーイ

頑丈（ガンジュ）ーサ　ソーイビーミ（敬語）

チャー　頑丈（ガンジュ）ードー（いつも　元気だよ）

⋯⋯⋯⋯⋯⋯⋯⋯⋯⋯⋯⋯⋯⋯⋯⋯⋯⋯⋯⋯⋯⋯⋯⋯⋯⋯⋯⋯⋯⋯⋯⋯⋯⋯⋯⋯⋯

●今日はいい天気ですね。

今日（チュー）ヤ　良（イー）　天気（ティンチ）　ヤイビーンヤー

今日（チュー）ヤ　暑（アチ）サイ　ビーンヤー（今日は暑いですね）

※涼しいは「涼（シダ）サイ」、寒いは「寒（フィー）サイ」、暖かいは「暖（ヌク）サイ」となる。

⋯⋯⋯⋯⋯⋯⋯⋯⋯⋯⋯⋯⋯⋯⋯⋯⋯⋯⋯⋯⋯⋯⋯⋯⋯⋯⋯⋯⋯⋯⋯⋯⋯⋯⋯⋯⋯

●どこへ行くの。

何処（マー）カイガ

ウママディ（そこまで）

マタ　明日（アチャー）ヤー（また明日ね）

⋯⋯⋯⋯⋯⋯⋯⋯⋯⋯⋯⋯⋯⋯⋯⋯⋯⋯⋯⋯⋯⋯⋯⋯⋯⋯⋯⋯⋯⋯⋯⋯⋯⋯⋯⋯⋯

● ありがとうございます。ありがとうございました。

　　ニフェーデービル

　　ニフェーデービタン（過去形）

　　※宮古ではタンディガータンディ、八重山ではニーハイユーという。

....

● お願いします。よろしくお願いします。

　　ウニゲーサビラ

　　ユタサルグトゥ　ウニゲーサビラ

....

● 失礼します。失礼しました。

　　御無礼_{グ ブ リー}サビラ（辞去するとき）

　　御無礼サビタン（陳謝するとき）

....

● またお会いしましょう。

　　マタヤーサイ（男性語）

　　マタヤータイ（女性語）

　　アンシェー　マタヤーサイ（それではまた会いましょう）

....

● 行ってらっしゃい。

　　ンジ　クーヨー

　　ンジ　メンソレーレー（敬語）

　　山原マディ　ンジチャービラ（山原まで行ってきます）

　　アンシェー　ンジ　メンソレーレー（それでは行ってらっしゃい）

....

8

●しまくとぅば

しまくとぅばとは、沖縄の島々に伝えられたきたことばで、琉球方言、琉球語、琉球諸語とも総称されている。言語学者や国語学者は、琉球列島のことばを奄美方言、沖縄方言、宮古方言、八重山方言、与那国方言の５つのことばに分類し、さらにこれらの諸島のことばを細分化している。

●沖縄語の母音

日本語の母音は「アイウエオ」の５音だが、ウチナーグチの母音は「アイウ」の３音しかなく、原則としてエが「イ」に、オが「ウ」に変化して発音される。たとえば雨はアミ、雲はクムと発音される。

●声門破裂音

ちょっと難しいが、声門破裂音も沖縄語の特徴である。声門破裂音とは、閉じた声門が開放されて起こる破裂音のことで、豚を意味する「ゥワー」やあなたを意味する「ィヤー」などがこれにあたる。日本語にはないもので沖縄出身かどうかを見分ける音にもなる。この「ィ」や「ゥ」は「つまる音」がはじけたときの音になる。

●沖縄に残る古い日本語

沖縄には、本土では死語になってしまった日本祖語の古いことばが、今でも生きたことばとして脈打っている。たとえば肉のことを沖縄では「シシ」とよぶが古語でも宍、妻の「トゥジ」は古語でも刀自である。沖縄語の源流をたどると日本の古語にたどりつく。中央から遠く離れた沖縄では、ことばの変化もゆるやかで神代に近き時代のことばが残されたのであろう。

●古代の音、P音考

日本語の「ハ行子音」は古代日本語ではP音で、それが奈良時代から江戸時代にかけてF音からH音へと変化してきたという。すなわち「パピプペポ」は「ファ フィ フゥ フェ フォ」となり、さらに今日の「ハヒフヘホ」と変化したというのである。たとえば「花」という語は「パナ→ファナ→ハナ」と変化してきたことになる。沖縄には、これら３つの音が分布しており、沖縄本島北部、宮古、八重山には古代のP音が今でも色濃く残っている。

感嘆詞

はい（肯定）	イー ウー（敬語）
いいえ（否定）	イーイー ウーウー（敬語）
はい（返事）	ヒー フー（敬語）
おい（呼びかけ）	エー エーサイ、エータイ（敬語）
いやだ	ンパ
痛い	アガー
やあ。おや。あれ	アイ
どれ。ほら。おい	ダー
なんてこった	アギジャビヨー（男性語）
あれー。きゃー。	アキサミヨー（女性語）
まさか（疑わしいとき）	ハーヤー
ああ（悲しい・失敗したとき）	アイエーナー
おやまあ	ハッサ。ハッサミヨー
そら。ほら（注意・警戒）	ウリヒャー
よし（承認・決意・命令）	トー
そう？　ほんとう？	ンジ
なあ。ほらね	ヤー
でかした	シタイヒャー
いい気味	ユーシッタイ
なるほど。やっぱり	ンチャ
そうだ	ヤサ

10

感嘆詞を使う

● がんばれよ。
  気張_{チバ}リヨー

  ハマリヨー

  負_マキンナヨー（負けるなよ）

....

● 痛い！
  アガー

  アガーヒャー

  アガー　ワジワジー　スッサー（痛い！　腹が立つなあ）

....

● あら。おや。あれ。やあ。
  アイ！

  アイ！　具志堅さん（あれ、具志堅さん）
  アイ　バッペータン（おっと、間違_{まちが}えた）

  ※びっくりしたときなどに発する便利なことばで、いろいろな意味を持つ。

....

● 盛_もり上げろよ。
  ハネーカシヨー

  ディー　舞_{モー}ラナ（さあ、踊ろう）

....

| でかした、今の調子だ。 | シタイヒャー　今^{ナマ}ヌグトゥ　ヤサ |

でかした、今の調子だ。　　シタイヒャー　今ヌグトゥ　ヤサ

ああ、大変なことになった。　アギジャビヨー　大事^{デージ}　ナトーン
ああ、悪ガキどもが　　　　アキサミヨー　嫌^{ヤナ}ワラバー達^{ター}ヤ

ほら、大変なことになった。　ウリヒャー　大事^{デージ}ナトーン

どれ、お母さんはいないの。　ダー　アンマーヤ
おい、お釣りは。　　　　　ダー　ケーシムドゥシヤ
しまった、やられた。　　　ダーナー　サッタルムン

そうか、そうだったかなあ。　ンジ　アンヤティー
そうか、あたっているか。　ンジ　当^{アタ}トーミ
そうか、そうなのか。　　　ンジ　アンヤミ
そうか、ほんとうに。　　　ンジ　ジュンニアア

はい、そこを曲^まがって。　トー　ンマンジ　曲^{マガ}レー
よし、止まれ。　　　　　　トー　止^{トゥ}マレー
さあ、どうする。　　　　　トー　如何^{チャー}スガ
よし、今の調子だ。　　　　トー　今^{ナマ}ヤサ
もういい、終われ　　　　　トー　終^{ウワ}レー
さあ、大変なことになった　トー　大事^{デージ}　ナトーン

※どうしようもなくあきれたときに発することばの「アキサミヨー、アギジャビ
　ヨー、アンマヨー、アイエナー」は、ほぼ同意語になる。
※よく耳にする「ダー」は、物をたずねたり、請求^{せいきゅう}したりするときのことばで、
　「ほら・どれ・おい」のような意味を持つ。

●あいさつ語

　ウチナーグチのあいさつは型にはまっていない。「おはよう、こんにちは、こんばんわ」のような定型のことばがなく、その時、その場に応じてあいさつをする。「さようなら」も同じで、これにピッタリと当てはまるウチナーグチはない。

●サイとタイ

　接尾語の「サイ」は、語句の後につけるだけで、ていねいな表現になる便利なことばである。ただし、女性が使う場合は「タイ」に変化する。

　　例／マーサンヤーサイ（おいしいですね）

　　　　マーサンヤータイ

●イーヒーとウーフー

　「イーヒー」は、目下や親しい同年の者に対することば。肯定の時にはイーと言い、呼ばれた時にはヒーと答える。「ウーフー」は、目上に対する敬語のことばで肯定の時には ウー と言い、呼ばれた時はフーと答える。

●ダー

　範囲の広いことばでよく耳にする。物をたずねたり、請求したりするときに発するが、失敗したときや裏をかかれたときにも使う。沖縄人が無意識で使っているのがこの「ダー」で、これを用いると何となくウチナーグチらしくなる。たぶん無理に訳する必要がないことばになっている。

　　例／ダー　アンマーヤ（どれ、お母さんはいないの）

●グヮー

　小さい、親愛の情などの意味を表す接尾語で指小辞という。沖縄語で頻繁に用いられる「グヮー」が指小辞で、東北方言の「○○っこ」のようなものである。ただし、沖縄語の「グヮー」は、使い方によっては軽蔑を意味することばにもなる。ふつう「小」の字を当てている。

　　例／マヤーグヮー（子猫）　　チルーグヮー（鶴ちゃん）

　　　　ヤーグヮー（小屋）　　　ウッピグヮー（それっぽっち）

　　　　スーグヮー（宿六）　　　シンシーグヮー（先公）

お願いのことば

よろしくお願いします	ユタサルグトゥ　ウニゲーサビラ
	ユタシク　ウニゲーサビラ
ご案内お願いします	ウンチケー　ウニゲーサビラ
休ませて下さい	ユクラチ　クィミソーレー
よくお聞き下さい	ユーチチ　ウタビミソーリ
気をつけて下さい	チーチキミソーリ
急いで下さい	イスズミソーレー
落ち着いて下さい	ウティチチミソーレー
静かにして下さい	シジカニシミソーレー
仲間に入れて下さい	グーナチ　クィミソーレー
連れて行って下さい	ソーティメンソーレー
どうにかなりませんか	チャーガラ　ナイビラニ
食べてみて下さい	ウサガティ　ンジミソーレー
貸して下さい	カラチ　クィミソーレー
教えて下さい	ナラーチ　クィミソーレー
道を教えて下さい	ミチ　ナラーチ　クィミソーレー
質問してもよろしいですか	トゥーティン　ユタサイビーミ
見せて下さい	ミシティ　クィミソーレー
開けて下さい	アキティ　クィミソーレー
お許し下さい	ユルチ　クィミソーレー
我慢しておくれ	クネーティトゥラシェー
縁起をつけて下さい	カリー　チキティ　クィミソーレー
待っていて下さい	マッチョーティ　クィミソーレー
見逃して下さい	ミーヌガーラチ　クィミソーレー
取って下さい	トゥーティ　クィミソーレー

14

人間関係

人	チュ
人間	ニンジン
男	イキガ
女	イナグ
友人	ドゥシ
仲間	シンカ
兄貴 <small>あにき</small>	ヤッチー
年上	シージャ
年下	ウットゥ
年寄り	トゥスイ
大人	ウフッチュ
若者	ワカムン
子ども	ワラビ
子	クヮ
男の子。息子	イキガングヮ
女の子。娘	イナグングヮ
夫婦	ミートゥ。ミートゥンダ
夫	ウトゥ
妻	トゥジ
婿	ムーク
嫁	ユミ
恋人	ウムヤー
妾 <small>めかけ</small>	ユーベー
先生	シンシー
生徒	シートゥ

家族	ヤーニンジュ
自分	ドゥー
祖父母	ファーフジ
祖父	ウスメー（平民）。タンメー（士族）
祖母	ハーメー（平民）。ンメー（士族）
親	ウヤ
両親	タイヌウヤ
父親	スー（平民）。ターリー（士族）
母親	アンマー（平民）。アヤー（士族）
兄弟	チョウデー
長男	チャクシ
長女	チャクシイナグングヮ
孫	ンマガ
ひ孫	マタンマガ
親族	ウェーカ
元祖	グヮンス
祖先	ウヤファーフジ
子孫	クヮンマガ
伯父	ウフスー。ウフターリー
叔父	ウンチュー。ウジャサー
伯母	ウフアンマー。ウフアヤー
叔母	ウフバー。ウバマー
従兄弟	イチュク
甥	ウィーックヮ
姪	ミーックヮ
舅（しゅうと）	イキガシトゥ
姑（しゅうとめ）	イナグシトゥ

●家族は何人いますか。
家人数ヤ　何人　メンセーガ

三人　ナトーイビーン（3人です）
....

●恋人はいますか。
思ヤーグヮーヤ　ウイビーミ

ナー　根引　ソーイビーン（もう結婚しています）
....

●あれは誰の弟ですか
アレー　誰　ウットゥ　ヤイビーガ

我　ウットゥ　ヤイビーン（私の弟です）
....

●あなた方は兄弟なのですか。
ウンジュナーヤ　兄弟ドゥ　ヤイビールイ

クヌッチョー　我　同士　ヤイビーン（この人は私の友人です）
....

●私の娘。
私達　女の子

アンシ　可愛グヮーヤル（なんてかわいいの）

※家族や所属するものなどについて話すときは、ふつう複数形になる。
....

気象・季節・天体

天気	ウヮーチチ。ティンチ
晴れ	ハリ
曇り	クムイ
雨	アミ
天気雨	ティーダアミ
局地的な雨（片降り）	カタブイ
にわか雨	アッタブイ
梅雨	ナガアミ。スーマンボースー
風	カジ
涼風	シダカジ
雲	クム
雨雲	アミグム
雷	カンナイ
虹	ヌージ
あられ（霰）	アラリ
暴風	カジフチ
台風	テーフー
地震	ネー
津波	シガラナミ
朝凪	アサドゥリ
夕凪	ユウドゥリ
南風	フェーカジ
北風	ニシカジ
季節	シチ
春・夏・秋・冬	ハル・ナチ・アチ・フユ

暑い	アチサン
寒い	フィーサン
涼しい	シダサン
蒸し暑い	シプタイアチサン
太陽	ティーダ
月	チチ。トートーメー（幼児語）
十五夜	ジュウグヤ
星	フゥシ
天の川（天河原）	ティンガーラ
北極星	ニヌファブシ
北斗七星	ナナチブシ
宵の明星	ユーバンバンジャー
流れ星	フシヌヤーウチ

●気象を表すことば

二月風廻り……3月（旧暦2月）ごろ、海上が大しけとなる。漁師からは「台
　　　　　　　風に次ぐ荒れ日」として恐れられている。

うりずん………3〜4月ごろ、だんだん暖かくなり、植え付けにはほどよい雨
　　　　　　　がふる。語源は「潤い初め」と言われる。

若夏……………4〜5月ごろで、稲穂の出る季節。初夏。

小満芒種………5〜6月の梅雨のこと。小満から次の節気である芒種にかけて
　　　　　　　梅雨の雨がもっともふる時期とされる。

夏至南風………梅雨明けのころの湿気を帯びた南風で、夏の到来をつげる。

新北風…………10月初めごろに吹く北よりの季節風。

鷹の小便………サシバの群れが渡来する10月ごろにふる雨。

冬至の寒さ……冬至のころに襲来する強い寒波（例年12月22日ごろ）。

鬼餅寒さ………旧暦12月8日ごろに襲来する強い寒波。

寒の戻り………冬の寒さが戻ってくる3月ごろの寒波。

別れの寒さ……春分の日が過ぎた4月ごろにやってくる最後の寒さ。余寒。

19

天気

● 今日は、なんて寒いんでしょう。
今日ヤ　アンシ　寒ーサルヤー

山原ヤ　ナーフィン　寒ーサンテー（山原はもっと寒いだろうね）

● 昨日は大雨でした。
昨日ヤ　大雨ヤタン

ユー　雨ヌ　降イビーン（よく雨が降りますね）

● 夏は暑くてなりません。
夏ー　暑サヌ　ナイビラン

今日ヤ　ドゥク　暑サヌ（今日はとても暑いね）

● 私も暑がりです。
我ニン　暑サカマラサー　ヤンドー

早ーク　クーラーンカイ　当タレー（早くクーラーに当たって）

● 炎天下に日向を歩いては行けないよ。
炎天下ニ　太陽ヌミーカラ　歩チッェー　ナランドー

太陽　クゥラクゥラ　ソーイビーン（太陽がギラギラしています）

●いい陽気になってきた。
良　肌持　ナトーン
イー　ハダムチ

良　塩梅ヤサヤー（いい具合だなあ）
イー　アンベー

....

●天気はどうなっているか。
天気ー　如何　ナトーガ
ティンチェ　チャー

明日ヤ　晴リユンディ　思ユン（明日は晴れると思う）
アチャー　ハ　ウム

明日ヤ　良　天気　ナエーサニ（明日は良い天気になるのでは）
アチャー　イー　ティンチ

....

●ここはすごく涼しいよ。
クマー　大変　涼サン
イッペー　シダ

アン　ヤイビーサ（そうですね）

....

●日差しが弱まってから歩いて下さい。
太陽ヌ　ネーティカラ　歩ッチミソーリ
ティーダ　ア

陰ナーディー　行チミソーリ（陰づたいにお出かけ下さい）
カーギ　イ

....

●今にも雨が降りそうですね。
今ニン　雨ヌ　降イギサー　ヤイビーンヤー
ナマ　アミ　フ

傘　持ッチ　行チュセー　マシドー（傘を持って行った方がいいよ）
カサ　ム　イ

明日ン　雨　降インディ　言ヤビーン（明日も雨が降るそうですよ）
アチャー　アミ　フ　イ

....

● 「冬至寒さ」ってあるもんですね。
　　冬至寒サンチェー　有ルムン　ヤッサヤー

　　昨日マディヌ　寒ーサヨーヤー（昨日までの寒さよ）
　　朝夕ヤ　寒ーク　ナトーンヤー（朝夕は寒くなってきたね）

…………………………………………………………………………………

● ほんとうに「鬼餅寒さ」ってあるなあ。
　　ジュンニ　鬼餅寒サンチ　有ンヤー

　　寒ーサマガイ　ソータン（寒さで縮こまっていた）

…………………………………………………………………………………

● 寒の戻りで風邪をひいた。
　　別り寒サヌ　チャーニ　風邪カカタン

　　風ヌ　強ーサヌ　寒ーコー　ネーラニ（風が強いので寒くはないか）

…………………………………………………………………………………

● 今日から暖かくなって外にも出られるよ。
　　今日カラー　ヌクバーティ　外ンカイ　出ラリーサ

　　アンスカ　寒ーコー　ネーンセー（それほど寒くはないから）

…………………………………………………………………………………

● 目白がさえずっている。
　　目白ヌ　フキトーン

　　ナー、夏　ナイサヤー（もう、夏になるね）
　　ヌクバーティ　良　塩梅ヤーサイ（暖かくなっていい具合だね）

…………………………………………………………………………………

勉強関係

勉強	ビンチョー
机	シュク
椅子	イィ
本	フン
書物	シムチ
字引	ジーフチ
鉛筆	イィンピツ
筆箱	フディバク
紙	カビ
硯（すずり）	シジリ
墨	シミ
算盤	スルバン
眼鏡	ガンチョー
虫眼鏡	ムシカガン
試験	シキン
正解の丸	マールー
学問（墨）	ガクムン。シミ
先生	シンシー
生徒	シートゥ
学校	ガッコー

●ことわざ ─────────────

学問ー　知っち、物ー　知らん。

　学問は知っていても、世の中の道理や礼儀は知らないという意。学歴や知識が豊富でも、人の心や人の痛みがわからない人がいる。そんな専門馬鹿のような人を皮肉ることわざである。論語読みの論語知らず。

地 形

陸	アギ
海	ウミ
丘・山	ムイ
山頂	ヤムヌチジ
岸	チシ
浜	ハマ。カニク
海辺	ウミバタ
珊瑚礁（干瀬）	ヒシ。ピシ
礁池（しょうち）	イノー
干潟（ひがた）	カタバル
ビーチロック（板干瀬）	イタビシ
沖	ウチ
キノコ岩	ニーガジラー
林・木立	ヤマ
谷間	サク
滝	タチ
川	カーラ
池・沼	クムイ
入江・人が集まるところ	チグチ
崖	ハンタ
離島	ハナリ

● ことわざ ──────────

陸ぬ　狂者や　男
（アギ）　（フリムン）　（イキガ）

　陸のおろか者は男。陸のあほうは男で、海のあほうは魚という。どちらも自ら餌に食いついていくから。男は女にだまされやすいという意味のことわざ。

24

朝・昼・晩

暁（あかつき）	アカチチ
朝日	アガイティーダ
朝っぱら	アサンナーラ
朝	シティミティ
昼	フィル
白昼	アカラフィル
炎天下	マフックヮ
日中	フィルジュー
夕方	ユサンディ
夕まぐれ	ユマングィ
薄暮（明う暗う）	アコークロー
夕焼け	ユサンディアカガイ
夕日	サガイティーダ。イリフィ
宵	ユクネー
宵闇	ユクネーグラシン
夜	ユル
真夜中	サラユナカ
今晩	チューユル
毎晩	メーユル

● ことわざ ————————

上がい太陽どぅ　拝むる、下がい太陽ー　拝まん

　のぼる朝日は拝むが、沈む夕日は拝まない。よりよい人生を送るには、朝日の
ように向上しようと努力する人を手本にするべきである。水平線の彼方からのぼ
る太陽は荘厳である。夕日はきれいでも、しだいに暮れていくので物悲しい。困
難な状況にあっても、しっかりと目標をもって努力せよという教えである。

昨日・今日・明日

昨日	チヌウ
今日	チュー
明日	アチャー
翌日	ナーチャ
一昨日（おととい）	ウッティー
明後日（あさって）	アサティ
明々後日（しあさって）	アサティヌナーチャ
明朝	アチャアサ
毎日	メーナチ
今年	クトゥシ
去年	クジュ
来年	ヤーン
今度	クンドゥ
今	ナマ
たった今	ナマサチ
後	アトゥ
前	メー
昔	ンカシ
将来	ユーヌサチ

●沖縄語／桃太郎

ンカシンカシ　アルトゥクルンカイ	むかしむかし　あるところに
タンメートゥ　ンメーガ　ウィビタン	おじいさんと　おばあさんが　いました
タンメーヤ　ヤマンカイ　シバカイガ	おじいさんは　山へ　柴刈りに
ンメーヤ　カーランカイ	おばあさんは　川へ
シンタクシーガ　イチャビタン	洗濯に　行きました

人 体

身体・胴	ドゥー
頭	チブル
顔	チラ
目	ミー
目玉	ミンタマ
耳	ミミ
鼻	ハナ
口	クチ
舌	シバ
唇（くちびる）	クチシバ
歯	ハー
前歯	メーバー
奥歯	ウクバ
歯がない人	ハーモー
喉（のど）	ヌーディー
顎（あご）	カクジ
首	クビ
肩	カタ
腕	ウディ
二の腕・かいな	ケーナ
手	ティー
指	イービ
親指	ウフイービ
人差し指	チュサシイービ
中指	ナカイービ

薬指	ナラシイービ
小指	イービングヮ
爪 (つめ)	チミ
胸 (むね)	ンニ
乳房（ちぶさ）	チーブックヮ
腹	ワタ
背	クシ
臍（へそ）	フス
尻	チビ
腰	ガマク
足	ヒサ
股（もも）	ムム
膝（ひざ）	チンシ
脛（すね）	シニ
脹ら脛（ふくらはぎ）	クンダ
骨	フニ
背骨	クシブニ
肋骨（ろっこつ）	ソーキブニ
毛	キー
髪	カラジ
旋毛（つむじ）	マーチュー
眉	マユ
まつ毛	マチギ

● ことわざ ─────

慶良間─（キラマ）　見（ミー）しが、　睫毛─（マチゲ）　見（ミー）らん

　遠くの慶良間（けらま）諸島は見えるが、自分のまつ毛は見えない。よそ様のことはよくわかるが、自分のことや身近なことは気がつかないものである。灯台（とうだい）もと暗し。

28

体　内

血液	チー
血管	チーヌミチ
内蔵	ワタミームン
心臓	フクマーミ
肺	フク
肝臓	チム
腎臓	マーミ
脾臓	タキー
胃	イー
腸	イーワタ
小腸	ワタグヮー
精子	サニ
子宮	クヮシー
胎盤	イーヤー
大便	クス
小便	シーバイ
唾	チンペー
骨	フニ
肋骨	ソーキブニ
背骨	クシブニ

●ことわざ —————————————————————————

男ー　肋骨ぬ　ーち　不足

　直訳すれば「男は肋骨が一つ不足」ということ。男は女に比べ考えやおこない
が甘く、足りないところがあるという意味になる。男が何かヘマをやらかすと、
女からこのことわざで皮肉を言われたりからかわれたりする。

29

病 気

病気	ヤンメー。ビョーチ
病人	ヤンメームン
目がくぼむこと	ミークーガー
物貰い <small>ものもらい</small>	ミンベー
はしか（麻疹）	イリガサ
おたふく風邪 <small>かぜ</small>	トーシンバイ
下痢 <small>げり</small>	クスピー
瘡 <small>かさ</small>	ヘーガサ
根太 <small>ねぶと</small>	ニーブター
瘤 <small>こぶ</small>	グーフー。ガーナー
鼻水	ハナダイ
鼻づまり	ハナカタマヤー
耳垂れ <small>みみだ</small>	ミンジャイ
風邪 <small>かぜ</small>	ハナシチ。ゲーチ
咳 <small>せき</small>	サックイ
虫歯	ムシクェーバー
歯痛 <small>はいた</small>	ハーヤミ
ハンセン病	クンチ
脳膜炎 <small>のうまくえん</small>	チブルショーカン
マラリア	ヤキー

● ことわざ ─────────

頑丈者ぬ　堅倒り
<small>ガンジュームン　クファドー</small>

<small>がんじょう　　かた</small>

　頑丈な者ほど急死するという意。堅い木はポキリと折れやすい。人間も医者知らずで頑丈な者ほどポックリ倒れてしまうものである。自分の体を過信してはいけないという意味のことわざ。
<small>かしん</small>

体調を気遣う

● どうした、どこか悪いのか。
　何ガ　何処ン　病ミルスリー
　_{ヌー}　_{マー}　_ヤ

　頭ヌ　ガンナイ　スッサー（頭がガンガンするよ）
　_{チブル}

……………………………………………………………………

● 怪我をしたんだって。
　胴ー　痛マチャンディナー
　_{ドゥ}　_ヤ

　如何ガ、マシナトーミ（どうだ、よくなっているか）
　_{チャー}

……………………………………………………………………

● 体がだるくて喉も痛い。
　胴ーヌ　怠サヌ　ヌーディーン　痛ムン
　_{ドゥ}　_{ダル}　　　　　　_ヤ

　熱ヌ　有ティ　寒ーク　ナトーン（熱があって寒気がする）
　_{ニチ}　_ア　_{フィ}

……………………………………………………………………

● お腹をこわしているのですか。
　腹ル　病ントーミ　セーンナー
　_{ワタ}　_ヤ

　何ンチ　腹　病ンタガ（どうしてお腹をこわしたの）
　_{ヌー}　_{ワタ}　_ヤ

……………………………………………………………………

● 太郎は家で寝ている。
　太郎ヤ　家ウティ　寝トーン
　　　　_{ヤー}　_{ニン}

　薬　飲ミバ　シグ　マシナイビーサ（薬を飲めばすぐによくなるよ）
　_{クスイ}　_ヌ

……………………………………………………………………

31

●病は口より入る。
　口カラ　災難　入ユン
　（クチ）　（シーラ）　（イ）

　熱　測ラシミ　ソーレー（熱を測らせて下さい）
　（ニチ）（ハカ）
　※シーラとは災難・苦しみ・病気などの意。

....

●風邪を引いてしまった。
　（かぜ）
　風邪グゥー　掛カティ　ネーヤビラン
　（ハナシチ）　（カ）

　雨二　濡ディーネー　病気　入ユンドー（雨に濡れると病気になるよ）
　（アミ）（ン）　（シーラ）（イ）　　　　　　　　　　　（ぬ）

....

●鼻声ですが風邪を引いているのですか。
　鼻物言ー　サビーシガ　風邪ル　引チョーイビーミ
　（ハナムヌイ）　　　　　（ハナシチ）（ヒ）

　サックイ　シミシェーミ（咳も出ますか）
　　　　　　　　　　　　　　（せき）

....

●どうしてそんなにやせ細っているのか。
　何ガ　アンシ　ヨーガリヒーガリ　ソール
　（ヌー）

　物ー　旨サミシェーミ（食事はおいしいですか）
　（ムノ）（マー）

....

●どこか具合が悪くないか。
　　　　（ぐあい）
　マーン　ドゥーグルコー　ネーニ

　足ヌ　ドゥーグリサン（足の具合が悪い）
　（フィサ）
　今ン　痛ムミ（まだ痛いか）
　（ナマ）（ヤ）

....

買い物

● これは何ですか。
　クレー　何ヌー　ヤイビーガ

　サーティン　ユタサイビーミ（さわってもよろしいですか）
　ウリン　噛カマリーミ（それも食べられるの）

・・

● 見たら買いたくなりました。
　見ミーチャレー　買コーイブク　ナイビタン

　ジロー　上等ジョートーヤイビーガ（どちらが上等ですか）
　ジロー　マシヤイビーガ（どちらが良いですか）

・・

● これはいくらか。これはいくらでしょうか。
　クレー　チャッサガ
　クレー　チャッサ　ヤイビーガ（敬語）

　ウレー　100円　ヤイビーン（それは100円です）
　ナーティーチ　売ウティ　クィミミソーレー（もう一つ売って下さい）

・・

● これを売って下さい。
　クリ　売ウティ　クィミソーレー

　安ヤッサイ　ビーンヤー（安いですね）
　高タカサイ　ビーンヤー（高いですね）

・・

買物に行く	買イムンシーガ　行チュン
急いで買ってきなさい	ヘークナー　買ティ　来ワ
いらっしゃいませ	メンソーレー。イメンセービリ
買っていらっしゃい	買ティ　メンソーレー
買って下さい	買ティ　クィミソーレー
見せて下さい	見シティ　クィミソーレー
買いたくなりました	買イブサク　ナイビタン
この本を下さい	クヌ本　買ヤビラ
あれを買いたい	アリ　買イブサン
いくら差し上げましょうか	チャッサ　ウサギヤビーガ
一つ包んで下さい	ティーチ　包ディ　クィミソーレー
少しだけ下さい	クーテングヮー　クィミソーレー
お菓子を買ってあげる	菓子グヮー　買ティ　トゥラスン
おまけも入れておきますよ	シーブヌン　入テーイ　ビーンドゥ

34

買う	コーユン
売る	ウユン
買い手	コーヤー
売り手	ウヤー
買い物	コーイムン
商売	アチネー
商品	アチネームン
市場	マチグヮー
雑貨店	マチヤグヮー
駄菓子屋	イッセンマチヤグヮー
お客	ウチャク
お金	ジン
小銭	クジン
安物	デーヤシー
高価な物	デーダカー
釣り銭	ケーシムドゥシ
支払う	ハラユン
交換する	ケールースン
儲ける	モーキン
損する	ウドゥキーン
掛けで買う	サガティ　コーユン
おまけ	シーブン
計算間違い	サンミンバッペー

●ことわざ ────────────────

銭しどぅ　銭のー　儲きーる

お金でこそお金は儲けるもの。稼ぐためには、元手がないと儲けられないという意味。まずは元手となるお金を貯めなさいという、資本の大切さを教える。

35

人柄・性格

正直者	マットバー
うそつき	ユクサー
秀才	ディキヤー
鈍才（どんさい）	ディキランヌー
優れた人（すぐ）	スグリムン
働き者。しっかり者	ヤカラ。ヤカラムン
馬鹿（ばか）	フラー。フリムン
才走った人（さいばし）	ミチアマヤー
知恵者（ちえしゃ）	ジンブンムチ
内弁慶（うちべんけい）	ヤーイジャー
病弱	ドゥーヤファラー
泣き虫	ナチブサー
弱虫	ビーラー。ヨーバー
甘えん坊	フンデー
腕白（わんぱく）	ウーマク
お転婆（てんば）	サンサナー
憎まれ者（にく）	ミックヮサムン
道楽者（どうらくもの）	クヮティームン
ひょうきん者	スクチナムン。スクチャー
こっけいな者	テーファー。チョーギナー
愚痴っぽい人（ぐち）	ゴーグチャー
短気者（たんきもの）	タンチャー
のろま	トゥットゥルー
無鉄砲な人（むてっぽう）	ナマチャー
威張る人（いば）	イバヤー

度胸のある人	イジャー
臆病者	シカボー
虫を怖がる人	ムシウトゥルー
おべっか者	メーサー
おっちょこちょい	チャクチャクー
気難しい人	カマラサー
おべんちゃら	アンダグチャー
喧嘩っ早い人	オーヤー
乱暴者	ンジャリムン
図々しい人	ナマジラー
わがままな人	ボーチラー
ぼんやりした人	トゥルバヤー
怠け者	フユーナー
粗忽者	ウフソー
倹約家	クメーキヤー
けちんぼ	イビラー
金持ち	ウェーキンチュ
貧乏人	フィンスームン
嫌らしい人	ハゴームン
泥棒	ヌスル
人嫌い	チュカシマシャー
理屈ばかりをいう人	リクチャー
恥知らず	ハジチラー
もうろくした人	ローマー
やきもちやき	リンチャー
善人	イーッチュ
悪人	ヤナー

道をたずねる

● 道を教えて下さい。
　道　習ーチ　クィミソーレー

　何処マディ　行チャビーガ（どこまで行きますか）
　県庁マディ　如何　行ケー　シマビーガ
　（県庁まで、どう行けばよいでしょうか）

....

● どちらをお探しですか。
　何処　トゥメートーミ　セーガ

　国際通り　ヤイビーン（国際通りです）

....

● この道をまっすぐ行って下さい。
　クヌ道　マットバー　メンソーレー

　ヒジャインカイ　曲ガイミソーレー（左に曲がって下さい）
　ニジリンカイ　曲ガイミソーレー（右に曲がって下さい）

....

● 那覇までどれくらいかかるかな。
　那覇マディ　チャヌアタイ　カカイガヤー

　2時間ビケーンディ　思イシガ（2時間位だと思うよ）
　トートー　慌ティレー（ほらほら急ぎなさい）
　アマー　遠ーサイビーンドー（あそこは遠いですよ）

....

● 平和通りはどこにあるの。
　平和通りヤ　何処ンカイ　アガ

　市場ンカイ　アイビーン（市場にあります）
　アマジン　問ーティ　ンメンソーレー（あそこでも聞いて下さい）

………………………………………………………………………………

● バスに乗って行きましょう。
　バス　乗ティ　メンソーラナ

　バスヌ　チャービタン（バスが来ました）

………………………………………………………………………………

● どちらまで行かれますか。
　何処マディ　メンセーガ

　平和通りマディ　乗シティ　クィミソーレー（平和通りまで乗せて下さい）
　クマウティ　止ミティ　クィミソーレー（ここで止めて下さい）

………………………………………………………………………………

● タクシー代はいくらですか。
　タクシー代ヤ　チャッサ　ヤイビーガ

　1000円ヤイビーン（1000円です）

………………………………………………………………………………

● ここで待っていて下さい。
　クマウティ　待ッチョーティ　クィミソーレー

　車ヌ　来ワ　案内　サビーサ（車が来たら案内します）

………………………………………………………………………………

39

喜怒哀楽

嬉しい	ウッサン
楽しい。面白い	ウムサン。ウィーリキサン
飛び上がって喜ぶ	トゥンジャーモーヤー
しゃくにさわる	ワジワジー
歯ぎしりする	ハーギシギシー
苦しい	クチサン
怖い	ウトゥルサン
悲しい	ナチカサン
寂しい	シカーラサン
懐かしい	アナガチサン
落胆	チルダイ
哀れ	アワリ
恥ずかしい	ハジカサン
第三者への言葉で胸が痛む	ウチアタイ
ぶるぶる。わなわな	フトゥフトゥー
涙	ナダ
心配事	シワグトゥ
思いやり	シナサキ
自分に腹を立てる	ドゥーグサミチ
心苦しい	ドゥーグリサン

●ウチアタイ

　第三者を非難する言葉に、自分も心当たりがあることから恐縮するようす。心当たりや忸怩にやや近いことばであり、漢字で書くと「内当たり」になるのであろう。自分にも身に覚えがあることから、後ろめたく思い、恥ずかしくなって反省するというもので、県民がよく使うウチナーグチである。

チム（肝）のつく言葉

心を強調していう言葉	チムグクル
心やさしい	チムジュラサン
かわいそう。心が痛む	チムグリサン
胸がドキドキする	チムドンドン
心が騒ぐ	チムワサワサー
満足する。気が晴れる	チムフジュン
つまらない。無意味	チムエーネーラン
心強い	チムジューサン
気がかり。心配する	チムガカイ
心さびしい	チムシカーラサン
機嫌がなおる	チムノーユン
機嫌を損ねる	チムヤンジュン
心の広い人	チムビルー
ずるい	チムハゴーサン
浮気っぽい	チムアササン
気があせる	チムアシガチ
心が痛む	チムイチャサン
心からかわいく思うこと	チムガナサン
小心者	チムグー
胸騒ぎがするさま	チムダクダクー

● チム（こころ）

　チムには肝臓と心情の二つの意味がある。沖縄では、何よりもチムグクル（心情）を大事にするので、チムのつく言葉が実に多く登場してくる。こころの様子はチムという語を使って表現することが圧倒的であり、どちらかというとチムは心（こころ）に近い用い方になる。

返事の決まり文句

● わかった。わかりました。
　分タン
　分ヤビタン（敬語）

※わかりませんは「ワカラン」「ワカヤビラン（敬語）」になる。

⋯⋯⋯⋯⋯⋯⋯⋯⋯⋯⋯⋯⋯⋯⋯⋯⋯⋯⋯⋯⋯⋯⋯⋯⋯⋯⋯⋯⋯⋯⋯

● いいよ。結構です。
　済ムサ
　済マビーサ（敬語）

　ナー　済ムサ（もういいよ）

⋯⋯⋯⋯⋯⋯⋯⋯⋯⋯⋯⋯⋯⋯⋯⋯⋯⋯⋯⋯⋯⋯⋯⋯⋯⋯⋯⋯⋯⋯⋯

● あのですね。
　アヌヨーサイ（男性語）
　アヌヨータイ（女性語）

※「アヌヨー」は話しかける時の語で女性の場合は「アヌヨーフー」とも言う。
　子ども同士の場合は「アヌヨーヒー」を使っていた。

⋯⋯⋯⋯⋯⋯⋯⋯⋯⋯⋯⋯⋯⋯⋯⋯⋯⋯⋯⋯⋯⋯⋯⋯⋯⋯⋯⋯⋯⋯⋯

● あなたはどう思いますか。
　ウンジョー　如何　思イミセーガ

　アン　ヤイビーサヤー（そうですね）
　意味クジン　分ラン（意味がわからない）

⋯⋯⋯⋯⋯⋯⋯⋯⋯⋯⋯⋯⋯⋯⋯⋯⋯⋯⋯⋯⋯⋯⋯⋯⋯⋯⋯⋯⋯⋯⋯

●何でもありませんよ。
　何ン　アイビラン
　ヌー

　チケー　ネーヤビラン（大丈夫ですよ）
　心配　ネーヤビラン（心配ないですよ）
　シワー

………………………………………………………………………

●どうにかなるかな。
　如何ガナ　ナイミ
　チャー

　如何ガナ　スサ（どうにかするよ）
　チャー
　如何ン　ナランサ（どうにもできないよ）
　チャー

………………………………………………………………………

●昔を懐かしむ言葉
　　　なつ

　アンヤタン（そうだった）
　アンヤタンヤー（そうだったなあ）

　アンヤタンナー（そうだったの）
　アンヤタガヤー（そうだったかなあ）

　アンヤタセー（そうだったよ）
　アネー　アランタンドー（そうではなかったよ）

　アネー　アランティー（そうではなかったか）
　アンヤタンディ（そうだったんだって）

………………………………………………………………………

容姿・姿勢

容貌（ようぼう）	カーギ
美人	チュラカーギ
不美人	ヤナカーギ
太った人	クェーター
痩（や）せっぽち	ヨーガリー
でぶ	クェーブター
やせすぎな人	ガジラー
背丈（せたけ）	フドゥ
大柄（おおがら）な人	フドゥマギー
小柄（こがら）な人	フドゥグマー
のっぽ	フドゥタカー
ちび	フドゥインチャー
ずんぐりした人	チマルー
同じ身長	ユンタキ
鼻の低い人	ハナビラー
おでこの出た人	ガッパヤー
後頭部（こうとうぶ）が平たい人	タッペーラー
そばかす	フェーヌクス
毛深い人	キーマー
毛の少ない人	キーモー
中腰（ちゅうごし）の状態	トゥンタッチー
正座（せいざ）	フィサマンチュー
赤毛	アカブサー
おかっぱ	カンター
髪の毛がぼうぼう	カントゥバーバー

44

● ちゃんとご飯は食べているの。

物_{ムノ}ー 噛_カディ 歩_{アッ}チョーミ

チュファーラ 腹_{ワタ}ヌミー 噛_カミヨー（おなかいっぱい食べなさい）

………………………………………………………………………………

● 召_めし上がって下さい。

ウサガミソーレー（敬語）

遠慮_{インロー}サングトゥ ウサガレー（遠慮_{えんりょ}しないでお食べなさい）

※よく耳にする「カメー」は子どもや年下の人に対して使う言葉である。

………………………………………………………………………………

● ごちそうになります。いただきます。

クヮッチー サビラ

大変_{イッペー} 旨_マーサイビーン（とてもおいしいです）

………………………………………………………………………………

● ごちそうになりました。

クヮッチー サビタン
命薬_{ヌチグスイ} サビタン

ナア、腹_{ワタ} 満_ミッチョーイビーン（もうお腹_{なか}いっぱいです）

チュフヮーラ クヮッチーサビタン（十分ごちそうになりました）

大変_{イッペー} 旨_マーサイビータン（とてもおいしかったです）

………………………………………………………………………………

●おかわりしましょう。
　イリケーイ　サビラ

　イリケーティ　ウサガミソーリ（おかわりしてお召し上がり下さい）
　イリケーイ　御願[ウニゲー]　サビラ（おかわりお願いします）

●口淋[くちさび]しいので何か食べ物はないかね。
　口淋[クチサビ]サヌ　何[ヌー]ガナ　噛[カ]マリーセー　ネーラニ

　ヤッサヤー　何[ヌー]ガナ　噛欲[カミブ]サンヤー（そうだな、何か食べたいな）

●魚と肉とでは、どちらが好きか。
　魚[イユ]トゥ　肉[シシ]トー　何[ヌー]ヤ　マシヤガ

　何[ヌー]ヌ　旨[マー]サイビーガ（何がおいしいですか）
　魚[イユ]ヤカ　肉[シシ]ヤ　ジョーイ　旨[マー]サン（魚より肉がずっとうまい）

●おいしくありませんでした。
　旨[マー]コー　ネーヤビランタン

　タジラシケーサーヤ　旨[マー]コーネーン（温め直したものはおいしくない）

●ほら、おめざましだよ。
　ウリ、ミークファヤー

　黒砂糖[クルザーター]ガル　ミークファヤー　ヤタン（黒砂糖[くろざとう]がおめざましであった）

いい味です。	味クーター　ヤイビーン
ゴーヤーは好きですか。	苦瓜ヤ　好チ　ヤイビーミ
もう結構です。	ナー　ユタサイビーン
パインを丸ごと食べた。	パイン　マンタキー　噛ダン
彼は酒好きだよ。	アレー　酒ジョーグードー
塩を少し振りかけて。	塩グヮー　イフェー　ホーレー
甘すぎて食べられない。	ドゥク　甘サヌ　噛マランシガ
夕飯の支度はできているのか。	夕飯ー　シコーテーミ
のどが渇いた。	ヌーディー　カーキトーン
さんぴん茶が飲みたい。	サンピン茶ー　飲ミブサン
昼飯はどうするつもりか。	アサバノー　如何スル　考ーガ
空腹ががまんできるか。	ヤーサヌン　ニジラリーミ
空腹しのぎに何か食べて行こう。	ヤーサ直シニ　何ガナ　噛ディ　行カ
食べない食べないの七杯目。	噛マン　噛マンヌ　七碗

調理・飲食用具

鍋<ruby>なべ</ruby>	ナービ
油鍋	アンダナービ
大型鍋（四枚鍋）	シンメーナービ
ざる	ソーキ
まな板	マルチャ
包丁（ほうちょう）	ホーチャー
薬缶<ruby>やかん</ruby>	ヤックヮン
急須（きゅうす）	チューカー
茶盆<ruby>ちゃぼん</ruby>	チャブン
茶碗籠<ruby>ちゃわんかご</ruby>	チャワンバーキ
お膳<ruby>ぜん</ruby>	ウジン
お椀<ruby>わん</ruby>	マカイ
飯椀<ruby>めしわん</ruby>	ミシマカイ
汁碗<ruby>しるわん</ruby>	シルマカイ
どんぶり	ドゥンブイ
小皿	ケーウチ
中皿	スーリー
大皿	ハーチ
お箸<ruby>はし</ruby>	ウメーシ
匙<ruby>さじ</ruby>	ケー
しゃもじ	ミシゲー
おたま	ナビゲー
弁当	ビントー
薪<ruby>まき</ruby>	タムン
マッチ	チキダキ

48

洗面・風呂関係

水	ミジ
天水	ティンシー
湧泉や井戸	カー
湧き水を樋で引いたもの	ヒージャー。ヒージャーガー
川	カーラ
タライ（盥）	ターレー
洗面器	ビンダレー
せっけん	サフン
お湯	ユー
風呂	ユーフル
銭湯	ユーフルヤー
垢	ヒング
冷たい	ヒジュルサン
熱い	アチサン
ぬるい	ヌルサン
手ぬぐい	ティサージ
たわし	サーラ
こぼす	イーケーラスン
風呂に入る	ユーフル　イユン
顔を洗う	チラ　アラユン
歯をみがく	ハー　ミガチュン

●垣花樋川（カチヌハナヒージャー）───────────────

　全国名水百選に選ばれた垣花樋川は、南城市玉城の高台にあり、周辺にはクレソンの水田がある。かつてはイナグンガー(女の川)、イキガンガー(男の川)があり、その下流の水たまりはンマミシガー(馬浴川)として利用されていた。

いろいろな道具

針	ハーイ
糸	イーチュー
小刀	シーグ
鍬 <small>くわ</small>	クェー
平鍬 <small>ひらぐわ</small>	ファーグェー
三叉鍬 <small>みつまたぐわ</small>	ミマター
へら	フィーラ
草刈り鎌 <small>くさか がま</small>	イラナ
摺り臼 <small>す うす</small>	シリウーシ
ふるい（篩）	ユイ
桶 <small>おけ</small>	ウーキ
のこぎり	ヌクジリ
かなづち	カナジチ
かんな	カナ
のみ	ヌミ
釘 <small>くぎ</small>	クジ
斧 <small>おの</small>	ユーチ
砥石 <small>と いし</small>	トゥシ
くり舟	サバニ
一本銛 <small>いっぽんもり</small>	ウギン
三本銛	トゥジャ
水中眼鏡	ミーカガン
漁り火（いざりび）	イザイ
櫂 <small>かい</small>	イェーク
鉤 <small>かぎ</small>	カキジャー

質問・お願い

●あなたの郷里（きょうり）はどこですか。

ウンジュガ　島ー（シマ）　何処（マー）ヤイビーガ

我（ワン）ネー　名護人（ナグンチュ）　ヤイビーン（私は名護（なご）の人です）

島言葉（シマクトゥバ）ッシ　話（ハナシ）ィ　聞（チ）カチ　トゥラシミソーリ

（郷里のことばでお話を聞かせて下さい）

....

●国際通りへの道はどれですか。

国際通りカイヌ　道（ミチ）ヤ　ジル　ヤイビーガ

クヌ道（ミチ）　ヤイビーン（この道です）

ヒジャイヌ　道（ミチ）　ヤイビーン（左の道です）

....

●ここはどこなの。ここはどこでしょうか。

クマー　何処（マー）　ヤガ

クマー　何処（マー）　ヤイビーガ（敬語）

クマー　平和通り　ヤイビーン（ここは平和通りです）

....

●あなたはどこからいらっしゃいましたか。

ウンジョー　何処（マー）カラ　メンソーチャガ

我（ワン）ネー　名護（ナグ）カラ　チャービタン（私は名護から来ました）

ヨンナー　メンソーリヨーサイ（お気をつけてお帰りください）

....

● あなたの仕事はなんですか。
ウンジュヌ 仕事ヤ 何 ヤイビーガ

大工 ヤイビーン（大工です）
畑サー ソーン（農業をしています）

....

● あの人は先生でいらっしゃるのですか。
アン人ー 先生ル ヤミセールイ

我達 先生 ヤイビーン（私達の先生です）

....

● あなたの家はどこですか。
ウンジュ達 家ヤ 何処 ヤイビーガ

私達 家ヤ 久茂地 ヤイビーン（私の家は久茂地です）
太郎達 家ヌ タンカードー（太郎の家の向かいだよ）

....

● サッカーはどうなっているか。
サッカーヤ 如何 ナトーガ

ワカヤビラン（わかりません）

....

● 急いで下さい。
急ジミ ソーレー

ハーエー シミ ソーレー（走って下さい）

....

●これは何といいますか。
　クレー　　何ンディ　　言ヤビーガ
　　　　　　（ヌー）　　（イ）

　ウチナーグチッシ　何ンディ　言ヤビーガ（沖縄語で何と言いますか）
　　　　　　　　　　（ヌー）　（イ）

....

●結婚しようと思っています。
　根引　　シェーヤーディ　思トーヤビーン
　（ニービチ）　　　　　　（ウム）

　我　妻　ナラニ（私の妻にならないか）
　（ワン）（トゥジ）

　ンパ　ヤイビーン（いやです）

....

●明日は早く起こして下さい。
　明日ヤ　早ーク　起クチ　クィミソーレ
　（アチャー）（フェ）（ウ）

　マカチョーケー（まかせなさい）

....

●いつ戻って来るか。
　　　（もど）
　何時　戻ティ　チュウーガ
　（イチ）（ムドゥ）

　夕飯　時分ネー　戻ティ　チャービーサ（夕飯時分までには戻ります）
　（ユーバン）（ジブン）（ムドゥ）

....

●太郎、お前は何の人（干支）か。
　　　　　　　　　　（え）（と）
　太郎　イャーヤ　何ヌ　人ガ
　　　　　　　　（ヌー）（チュ）

　子年　生マリヤサ（子年生まれだよ）
　（ネドゥシ）（ウ）　　（ね）（どし）

　ティーチ　ウットゥ　ナトーサヤー（一つ年下になっているね）

....

53

● どうね、満足か。

　チャーガ　肝フジイ

　ジョーイ　肝フガン（全然不満足だ）
　今ー　肝フジョーン（今は満足している）

··

● どうしたらよろしいですか。

　如何サラー　ユタサイビーガ

　荷物グヮー　片付キティ　トゥラセー（荷物を片付けておくれ）
　クレー　如何サビーガ（これはどうしましょうか）

··

● さあ、もう休もうよ。

　ディー、　ナー　憩ラナ

　クマンカイ　居ミソーレー（こちらにお座り下さい）

··

● これは何に使いますか。

　クレー　何ンカイ　使ヤビーガ

　チャングトゥシ　使ヤビーガ（どうやって使いますか）

··

● 今度の休みはどうされますか。

　今度ヌ　休ミヤ　如何　サビーガ

　休ミヌ　日ヤ　何　ソーイビーガ（休みの日はどうしていますか）

··

54

何で、どうして。	何ガ ヌーンチ
電話を貸して下さい。	電話 貸ラチ クィミソーレー
島唄を教えて下さい。	島唄 習ーチ クィミソーレー
どちらがよろしいですか。	ジロー マシヤイビーガ
彼がやるべきではないのか。	アリガル シービチェー アランナ
さあ、あなたから。	ディーサイ ウンジュカラ
あそこに座っているの誰か。	アマンカイ 居チョーセー 誰ヤガ
仕事は何をしているのか。	仕事ー 何 ソーガ
社長はいらっしゃらないの。	社長サノー メンソーラニ
今日は何を習いますか。	今日ヤ 何 習イビーガ
ちょっと待って下さい。	一時 待ッチ トゥラセー
今日はどこへ行くのか。	今日ヤ 何処カイ 行チュガ
昨日はいかがでしたか。	昨日ヤ 如何 ヤイビータガ
お元気でいらっしゃいますか。	胴ー 頑丈サ ソーイビーミ

55

舞踊・楽器

踊り	ウドゥイ
御冠船踊（おかんせんおどり）	ウクヮンシンウドゥイ
組踊（くみおどり）	クミウドゥイ
雑踊（ぞうおどり）	ゾーウドゥイ
乱舞 <small>らん ぶ</small>	カチャーシー
三味線	サンシン
琴	クトゥー
胡弓（こきゅう）	クチュー
横笛	ファンソー
太鼓 <small>たい こ</small>	テーク
締太鼓（しめだいこ）	シミデーク
大太鼓	ウフテーク
片張りの鋲打ち太鼓 <small>びょう う</small>	パーランクー
金鼓 <small>きん こ</small>	チンク
銅鑼 <small>ど ら</small>	ドゥラガニ
四つ竹（よつだけ）	ユチダキ
三板（さんば）	サンバ
法螺 <small>ほ ら</small>	ブラ

●御冠船踊（ウクヮンシンウドゥイ）――――――――――

　琉球王国時代、中国皇帝からの勅書と王冠をたずさえた使者の冊封使一行をもてなすために、首里城内で演じられた諸芸能のこと。冊封使が乗ってくる船を御冠船と呼んだことから、冊封使歓待の芸能を御冠船踊という。古いころは集団性の強い舞踊が多く、組踊や端踊（組踊を除く踊りの総称）が加わったのは1719年以降で、組踊の創始者・玉城朝薫が踊奉行になってからである。今日では古典舞踊や宮廷舞踊と呼ばれている。

化粧・芝居

化粧（けしょう）	シダスン
鏡	カガン
髪油（かみあぶら）	カタシユー
解櫛（ときぐし）	サバチ
梳櫛（すきぐし）	クシ
入髪（いれがみ）	イリガン
断髪（だんぱつ）	ダンパチ
かんざし	ジーファー
カミソリ	カンスイ
紅（べに）	ビン
匂い（にお）	カジャ
香りがよい	カバサン
指輪	イービナギー
琉装（りゅうそう）	ウチナースガイ
王国時代の成人男子の髪型	カタカシラ
沖縄の女性独特の髪型	カラジ
おしゃれ	チュラスガイ
芝居（しばい）	シバイ
役者	シバイシー
地謡（じうたい）	ジウテー

●ウシンチー

　ウシンチーとは、帯（おび）をしめないで、胴衣（ドゥジン）をしめている下帯（したおび）に着物を押し込む着付（つ）けの仕方。表衣の内側に隙間（すきま）ができ、暑い沖縄の風土に適（てき）した着付けであったが、昭和に入ると次第に姿を消したといわれる。琉球舞踊の「花風（ハナフウ）」「浜千鳥（チジュヤー）」などの着付けがウシンチーである。

お礼・ほめ言葉

● 美人ですね。

チュラ容貌　ヤイビーンヤー
(容貌＝カーギー)

チュラサイ　ビーンヤー（美しいですね）

………………………………………………………………

● 素晴らしいですね。

チビラーサイ　ビーンヤー

アリンカイ　敵イセー　居ラン（彼に勝てるのはいない）
(敵＝カナ、居＝ウ)

………………………………………………………………

● でかした。

ディカチャン

褒ミティ　トゥラスンドー（ほめてあげるよ）
(褒＝フ)

………………………………………………………………

● 今度の入試はいい成績を取ったそうだね。

今度ヌ　入試　ユー出来ラチェーサヤー
(今度＝クンドゥ、入試＝ニュウセー、出来＝ディキ)

ユー出来ヤー　ヤイビーサヤー（優秀ですね）
(出来＝ディキ)

………………………………………………………………

● 僕は君がとても好きです。

我ネー　ィヤー　イッペー　思トーン
(我＝ワン、思＝ウム)

嘘　ヤミセーラヤー（うそでしょう）
(嘘＝ユクシ)

………………………………………………………………

● あなたは野球も上手ですね。
　ウンジョー　野球ン　上手ヤミセーン
　　　　　　　　　　ジョージ

　ウンジュヌ　御陰ドゥ　ヤイビール（あなたのお陰です）
　　　　　　　ウ カゲ　　　　　　　　　　　　　　　　　　　かげ
　　　　　　　　　　　　　　　　　　　　　　　　　　　　　　

....

● 彼は勇気にあふれている。
　アレー　意地ヌ　マンドーン
　　　　　イ ジ

　大変　助カイビタン（とても助かりました）
　イッペー　タシ

....

● きびきびよく働くいい嫁ですね。
　尻軽サヌ　良　嫁　ヤッサー
　チビガッ　　イー　ユミ

　ンチャ　ィヤーガル　言ルトゥーイ　ヤサ（なるほど君の言う通りだよ）
　　　　　　　　　　　イー

　※チビガッサンは尻軽という意味ではなく、働き者のこと。
　　　　　　　　　　しりがる

....

● ゴキブリのなで肩、蜂のくびれ腰、ラッキョウのふくらはぎ。
　　　　　　　　　はち　　　　ごし
　ヒーラー肩バイ　蜂ーガマク　ラッチョウクンダ
　　　　　カタ　　　ハチャ

　アンシェー　良　容貌　ヤイビーサヤー（それじゃあ、美人ですね）
　　　　　　　イー　カーギ

....

● この赤ちゃんはなんて可愛いんだろう。
　　　　　　　　　　　　か わい
　クヌ　坊主ヤ　アンシ　ウジラーサル
　　　　ボージャー

　ウジラーサイ　ビーンヤー（可愛ですね）

....

●彼は何でもできるよ。
アレー　何ヤティン　ナイサ

アマヌ　子供達ヤ　ユー　物習シ　サットーン
（あそこの子供達は良く教育されている）

....

●無愛想な人だが心はできている。
カマジサー　ヤシガ　肝ー　出来トーン

太郎ヤ　肝持チムンドー（太郎は人情家だ）

....

●花子はなんて心がやさしいのだ。
花子ー、　アンシ　肝ジュラサル

妻　トゥメイラー　アリガグトゥ　肝ヌアシトゥル　ナインドー
（妻を求めるなら彼女のような心のある人にすべきだよ）

....

●彼ならやると思っていたよ。
アリガー　スサンディ　恩トータサ

アレー　我ヤカ　手ー上ー（彼は僕より技術が上だ）

....

●いいところですね。
良　トゥクマ　ヤイビーンヤー

良　眺ミ　ヤイビーンヤー（いい眺めですね）

....

趣味・嗜好品

釣竿 （つりざお）	チンブク
釣り人	イユクヮーサー
囲碁 （いご）	グー
沖縄将棋 （しょうぎ）〈象棋〉	チュンジー
絵	イー
手紙	ティガミ
空手	ティー
踊り	ウドゥイ
演劇・芝居	シバイ
野鳥	ヌーヌトゥイ
お茶	チャー
煙草 （たばこ）	タバク
酒	サキ
飼う （か）	チカナユン
育てる	スダティユン
器用 （きよう）	ティグマ
教えて下さい	ナラーチ　クィミソーレー
上手ではないです （じょうず）	上手ー （ジョーゼ）　アイビラン
少しはできます	ウフェー　ナイビーン
見に行きませんか	ンジーガ　メンソーラニ
連れて行って下さい （つ）	ソーティ　メンソーレー

●チュンジー（象棋）

　中国伝来の将棋が沖縄風に変化したもので、久米三十六姓（くめせい）（久米村人（クニンダチュ））の子孫（しそん）を中心に伝えられてきた。日本将棋と同じく相手の王を取った者が勝ちであるが、取った相手の駒（こま）は取り除くだけで使うことはできない。

61

感情表現

● 気持ちが晴れ晴れとしたよ。
肝^{チム}サーザートゥ　ナタン

ナー　ウミナーク　ナタン（もうほっとしたよ）

● 大変ありがとうございます。
大変^{イッペー}　ニフェーデービル

大変^{イッペー}　上等^{ジョートー}（とても素晴らしい）

● とても悲しい。
大変^{イッペー}　悲^{ナチカ}サン

大変^{イッペー}　肝^{チム}グリサン（とてもかわいそう）

● 頭にくるなあ。
ワジワジー　スッサー

何処^{マー}カラ　ワジーガ（腹立^{はらだ}たしいなあ）

● 胸騒^{むなさわ}ぎがしている。心が浮き浮きしている。
肝^{チム}ワサワサー　ソーン

肝^{チム}フトゥフトゥー　ソーン（胸がわなわなしている）

ウルウルしている	涙グルグル　ソーン
とても愛おしい	大変　愛サン
とても恥ずかしい	大変　ハジカサン
とても寂しい	大変　シカーラサン
とてもかわいそう	大変　肝グリサン
とても恐ろしい	大変　ウトゥルサン
ふてくされている	クサクサー　ソーン
胸騒ぎがしている	肝ダクダクー　ソーン
そんなに何を怒っているのか	アンスカナー　何　ワジトーガ
怒らないで下さい	ワジワジー　シミソーランケー
何だか気まずい雰囲気だなあ	何ガヤラ　異風ナー　ヤッサー
どう言っていいのか分からない	如何シ　言チシムラ　分カラン
それなら仕方がないなあ	アンヤレー　仕方ー　ナランサ
困っている	ハタハター　ソーン

玩具と遊び

玩具・おもちゃ <small>がんぐ</small>	イーリムン
凧 <small>たこ</small>	タク
独楽 <small>こま</small>	コールー
面子 <small>めんこ</small>	パッチー
風車	カジマヤー
仮面 <small>かめん</small>	ハーチブラー
張り子の馬乗り童子 <small>は こ うまの どうじ</small>	チンチンンマグヮー
張り子の起上がり小法師 <small>おきあ こぼうし</small>	ウッチリクブサー
竹と蜘蛛の糸のトンボ捕り <small>く も と</small>	ガンガナー
疑似餌のトンボ捕り <small>ぎ じ え</small>	アーケージュートゥエー
竹と芭蕉の葉のセミ捕り <small>ばしょう</small>	アササトゥエー
竹で作った小鳥の捕獲器 <small>ほ かくき</small>	ウトゥシグー
パチンコ	ゴムカン
シーソー	ゲッタンバッコン
虫拳・じゃんけん <small>むしけん</small>	ブーサー
指相撲 <small>ゆび ず もう</small>	イービウーセー
にらめっこ	ミーチキエー
あやとり	アヤトゥイ
鬼ごっこ〈捕まえなされ〉 <small>つか</small>	カチミソーレー
まりつき	マーイウチェー
竹馬 <small>たけうま</small>	タカビサ。キービサー
水鉄砲 <small>みずでっぽう</small>	ジクンバー
かけっこ	ハーエースーブ
お手玉	オーシートー
いしなご	イシナーグー

ブランコ	ウンダーギー
カタツムリの殻つぶし	チンナンオーラセー
なぞなぞ	ムヌアカセー
大小２本の棒で遊ぶ	ゲッチョー
片足跳びの遊び	ギータームンドー
肝だめし	イジスーブ
カマキリのけんか	イサトーオーラセー
とかげのけんか	アンダチャーオーラセー
ヤドカリ競争	アーマンスーブ
タカラ貝遊び	ウシモウモウ
闘鶏	タウチーオーラセー
闘魚	トーイユオーラセー
輪回し	コールマー
中国風の魔除け	ヤカジ
御前様の紙雛	ウメントゥー
人形箱	ウメントゥーバク

●ブーサー

　かつて沖縄で見られた拳遊びのこと。親指は人差し指に勝ち、人差し指は小指に勝ち、小指は親指に勝つ。「ブー、サー、シッ」と声を出し、「シッ」のかけ声とともに親指、人差し指、小指のいずれかひとつを出して勝負を決める。あいこの時には、「シッ、シッ、シッ」と勝敗が決まるまで繰り返す。大人の場合は、酒宴などで負けたものが酒を飲まされたりしたという。

●トンボ捕り

　ガンガナーは、二股の木の枝や竹の先端を割って開いたもの、または針金で輪をつくったものに、クモの巣をからませた網でトンボを捕まえる。

　アーケージュトゥエーは、15センチほどの黒い糸の両端に小豆ほどの小さな石を結び、これを空中高く投げ上げ、餌とまちがえたトンボをからめとる。

畳語・反復法

● ほろよい気分だよ。

　サーフーフー　ソーン

● 汗水流して働く。
　（あせみず）

　汗ハイ　水ハイ　働チュン
　（アシ）　（ミジ）　（ハタラ）

● 小言ばかり言うな。
　（こごと）

　ゴーグチ　ヒャーグチ　スナケー

● おい、キョロキョロするな。

　エーヒャー　アマ見　クマ見　スナケー
　　　　　　　（ミー）　　（ミー）

● 朝からあちこち駆けずり回っている。
　　　　　　　　（か）

　シティミティカラ　アマ走　クマ走　ソーン
　　　　　　　　　　（ハイ）　　（ハイ）

● あちこちさわると叱られるよ。
　　　　　　　　（しか）

　アマサーイ　クマサーイ　シーネー　ヌラーリンドー

● さっきからこっくりこっくりしている。

　キッサカラ　ウンブイ　コーブイ　ソーン

● こないだからぼんやりしている。

　クネーダカラ　トゥルバイ　カーバイ　ソーン

● うつらうつらしているから寝かしなさい。

　ニーブイ　カーブイ　ソークトゥ　寝シレー
　　　　　　　　　　　　　　　　（ニン）

● 何もかもまぜこぜになっている。

　何ンキーン　マンチャー　フィンチャー　ナトーン
　（ヌー）

● 彼がおしゃべりすることよ。

　アリガ　ユンタク　フィンタク　スルクトゥヨー

● 喉につかえている。
　（のど）

　チーチー　カーカー　ソーン

　※畳語という重ね言葉が多いのも沖縄語の特徴の一つである。
　　（じょうご）　　　　　　　　　　　　　　　　（とくちょう）

擬態語・擬声語

ほかほか	アチコーコー
冷えきっているさま	ヒジュルコーコー
ギラギラ	クヮラクヮラ
くっつき合うさま	タックヮイムックヮイ
眠そうなようす	ニーブイカーブイ
こっくりこっくり	ウンブイコーブイ
ぼんやりしているさま	トゥルバイカーバイ
クネクネ	マガヤーヒガヤー
根掘り葉掘り	ミーミークージー
がりがりに痩せているさま	ヨーガリヒーガリ
ぬかるみ	ドゥルグヮッタイ
じたばた	パッタイゲーヤー
不平不満を言うさま	ゴーグチヒャーグチ
おしゃべりするさま	ユンタクフィンタク
汗水流して働くさま	アシハイミジハイ
奪い合うさま	トゥイシーバーケー
手まね足まね	ティーヨーヒサヨー
必死になって走るさま	ハーエーゴンゴン
あちこち駆けずり回るさま	アマハイクマハイ
すいすい	サーラナイ
するする	ソールソール
嬉しいことがあって急ぐさま	イッスイカッスイ
さかんにくり返すさま	ウッチェーフィッチェー
手の施しようのないさま	アーサムーサ
笑いさざめくさま	イヒーアハー

職業・店

農民。百姓（ひゃくしょう）	ハルサー。ハルアッチャー
漁師〈海人〉	ウミンチュー。イユトゥヤー
樵（きこり）	ヤマアッチャー
猟師（りょうし）	ヤマシシトゥヤー
商人	アチネーサー
商品を頭にのせて売り歩く	カミアチネー
大工〈細工〉	シェーク
棟梁（とうりょう）〈大工〉	デーク
船大工（ふなだいく）	フナゼーク
左官（さかん）	ムチゼーク
馬車引き	バシャスンチャー
博労（ばくろう）	バクヨー
鍼灸師（しんきゅうし）	ヤブー
鍛冶屋（かじや）	カンジャー
医者	イサ
先生	シンシー
薬局	クスイヤー
魚屋	サシミヤー
床屋（とこや）〈断髪屋〉	ダンパチヤー
畳店	タタンヤー
山羊料理店（やぎ）	ヒージャーヤー
店。商店	マチヤ
書店	シムチマチヤ
雑貨店	マチヤグヮー
市場	マチグヮー

遊びに誘う

遊びに行かないか。	遊ビーガ　行カニ
今日は暇だからいいよ。	今日ヤ　暇ヤクトゥ　シムンドー
連れて行って下さい。	ソーティ　メンソーレー
いっしょに行こうよ。	マジュン　行カヤー
５時までには帰るよ。	５時マディネー　帰ヤビーサ
仲間にして下さい。	グーナチ　クィミソーレー
いっしょに来いよ。	マジュン　来ヨー
太郎には合図しているよ。	太郎ンカイヤ　合図セーン
やがて来るよ。	ヤガティ　チューサ
沖縄芝居を見に行った。	沖縄芝居　見ジーガ　行ジャン
おもしろいですよ。	面白イ　ビーンヤー
魚釣りに行きませんか。	魚喰ーシガ　メンソーラニ
今なら間に合うよ。	今ヤレー　間ニ合イサ

だから言っただろう。	ヤクトゥル　言チェーサニ
無愛想だな。	カマジシクートーン
このおっちょこちょいめ。	ヤナ　ウフソー者ヤ
そら見たことか。	ユーシッタイ
内弁慶なのでどうしよう。	家意地者ナティ　如何スガヤー
言いたい放題言ってならない。	言ブサ勝手ー　言チェーナラン
あの女はおてんばだよ。	アヌ　女ヤ　アバサードー
もうろくしてないか。	カネー　ハンディテーウラニ
げんこつを食らわすよ。	コーサー　喰ースンドー
あれに何ができるか。	アリガ　何ンナイミ
気が短いなあ、せかすなよ。	気早サヌ　アギマーサンケー
びっくりさせないで。	シカマサンケー
子供を好き放題にさせて。	童　ジママ　シミラチ
目の前の蝿も追い払えない。	目ヌ　前ヌ　蝿ーン　追イユーサン
うるさい、もう黙れ	カシマサヌ　ナア　アビランケー
あいつはのんべえだ。	アレー　酒喰ーヤサ
若者は怖さを知らない。	若者達ヤ　物ー　思ーン
こいつめ、殴ったろうか。	クニヒャーヤ　スグティ　トゥラサ
どこで遊びほうけていたか。	何処ンジ　フリ遊ビ　ソータガ
もっと遊んでおいで。	ナーヒン　遊ディ　来ワ
何で、そんなに怒っているの。	何ヤクトゥ　アンシ　クサミチョーガ
彼は音痴だよ。	アレー　ヒジャイヌーディーヤン
頭が良さそうにしている。	出来ヤーフーナー　ソーサ
これほどまでに呑気とは。	アンシ　ノンカーナティ
人の言うことも聞かない。	人ヌ　言シン　聞カン

●このおっちょこちょい、また忘れたのか。

　クヌ　ウフソーヤ　マタ　忘リタンナー

●あいつは母親の後ろばかり追いかける弱虫だよ。

　アレー　母親追ヤール　ヤルムン

●あれはすごいむずかし屋だ。

　アレー　ジコー　ゴーグチャーヤン

●まだ準備してないのか、さっさとしないと。

　ナーダ　シコーランナー　カシーカシーサント

●あれのやり方を見ていると歯がゆくなる。

　アリガ　仕方　見ジーネー　手歯痒サヌナラン

●あの夫婦は似たもの同士だね。

　アヌ　ミートゥンダーヤ　ニンタカマンタドゥヤル

●怒りの表現

こらしめるぞ	タッ殺サリンドー
皮を剥がれたいか	皮　剥ガリンドー
鼻先をぶんなぐるぞ	鼻ブックゥ　スグラリーミ
脛を折られたいか	脛　折ラリンドー
体の骨をへし折られたいか	胴骨　クン折ラリーミ

●悪口の表現

汚れたおしゃれな人	汚リハイカラー
甘ったれ腕白坊主	皇帝ウーマク
短気者	タンチャー
不美人	ヤナ容貌
弱虫	ビーラー
嘘つき	ユクサー

71

野菜類

野菜 （やさい）	ヤシェー
青菜 （あおな）	オーファ
かぼちゃ	チンクワー
とうがん	シブイ
にがうり	ゴーヤー
へちま	ナーベーラー
きゅうり	キーウイ
しろうり	モーウイ
パパイア	パパヤー。マンジューウイ
なすび	ナーシビ
ゆうがお	チブル
大根 （だいこん）	デークニ
人参 （にんじん）	チデークニ
ごぼう	グンボー
キャベツ〈玉菜〉	タマナー
ねぎ	ビラ
にら	チリビラ
らっきょう	ラッチョウ
にんにく	ヒル
ちしゃ	チサナ
ようさい	ウンチェーバー
さつまいの葉	カンダバー
不断草 （ふだんそう）	ンスナバー
水前寺菜 （すいぜんじな）	ハンダマ
ほうれん草	フーリンナー

高菜 （たかな）	シマナー
赤紫蘇 （あかじそ）	アカナバー
ほそばわだん	ンジャナバー
よもぎ	フーチバー
ういきょう	イーチョウバー
ぼたんぼうふう	チョーミーグサ。サクナ
もやし	マーミナーン
さつまいも	ンム
田芋 （たいも）	ターンム
田芋の芋茎 （たいものずいき）	ムジ
山芋 （やまいも）	ヤマンム
里芋 （さといも）	チンヌク
茸（きのこ）	ナーバ。チヌク
木耳（きくらげ）	ミミグイ
トマト	タマトー。ウランダナーシビ
念珠藻 （ねんじゅも）	モーアーサ
カリフラワー	ハマタマナー
さとうきび	ウージ

●ことわざ

大根ぬ　出じれー　医者薬ん　売ららん
（デークニ）　　　　（イ）　（サグスイ）　　　（う）

　大根が出る季節になると医者の薬が売れないという意。豚肉料理の多い沖縄では消化をよくする大根と組み合わせる。大根を食べることが健康によい効果をもたらすという民衆の知恵を示したものである。

茸ー　木耳　成トーン
（チヌコ）　（ミミグイ）　（ナ）

　キノコであるはずのものがキクラゲになっているという意。間違（まちが）っていても意固地（こじ）になって自説を曲げずに強情（ごうじょう）を張る人を皮肉（ひにく）ることわざ。

食材・調味料

米	クミ
麦	ムジ
小麦	ナームジ
粟 （あわ）	アワ
黍 （きび）	マージン
とうきび	トーヌチン
トウモロコシ	ルスントーヌチン
豆	マーミ
小豆 （あずき）	アカマーミ
大豆 （だいず）	トーフマーミ
えんどう	インドゥー
いんげん	インジン
落花生 （らっかせい）	ジーマーミ
そら豆	トーマーミ
魚	イユ
肉	シシ
卵 （たまご）	クーガ。タマグ
昆布 （こんぶ）	クーブ
ヒトエグサ	アーサ
モズク	スヌイ
イバラノリ	モーイ
豆腐 （とうふ）	トーフ
おから	トーフヌカシ
芋くず （いも）	ンムクジ
小麦粉	ムジナクー。ミリキングー

かまぼこ	カマブク
こんにゃく	クンニャク
そば（沖縄そば）	スバ
そうめん	ソーミン
うどん	ウドゥン
麩（ふ）	フー
味噌	ンス
醤油	ソーユー
塩	マース
砂糖	サーター
黒砂糖	クルザーター
酒	サキ
酢	アマザキ
あぶら（油・脂）	アンダ
菜種油	マーアンダ
ラード（豚脂）	ゥワーアンダ
ひはつもどき	フィファチ
唐辛子	コーレーグス

●ことわざ

雨垂い水や　醤油使い（アマダ ミジや ソーユージケー）

雨垂れ水は醤油使い。水は醤油のように大切に使わねばならない。今は水道からいつでも水が出るが、かつては雨水を溜めて使っていた時代があった。ひでりの時は井戸も涸れるので、ふだんから節水を心がけよということわざ。

砂糖ぬ　甘さとぅ　唐辛子ぬ　辛さ　取れー　何すが（サーター アマ コーレーグス カラ トゥ ヌー）

砂糖から甘さ、唐辛子から辛さを取ったら何になる。砂糖の甘さ、唐辛子の辛さのように、人間にも一人ひとり個性があり、その個性を奪ってはならない。

食事・飲み物

食べ物	ムン。ケームン
ご馳走	クワッチー
朝飯	シティミティムン
昼飯	アサバン
夕食	ユーバン
間食	ヤーサノーシ。ユルジナムン
飯	メー
おかゆ	ウケーメー
柔らかめに炊いたご飯	アチビー
汁	シル
実のない汁	インナシル
おかず	カティムン
なまもの	ナマムン
茶請け	チャワキ
お茶	ウチャ
沖縄独自の茶道	ブクブク茶
酒	サキ
泡盛〈島酒〉	シマザキ
古酒	クース
天水	ティンシー
おいしいもの〈命の薬〉	ヌチグスイ

● ことわざ ────────

いちゃんだ御馳走　後ぬ　厄介

タダでごちそうになると、物事をたのまれたりお礼に費用がかかったりして、かえって高くつくこともあるという教え。ただより高いものはない。

調理・味覚

心を込めた料理	ティーアンダ
炊事	ジョーシチ。ムンスガイ
切る	チユン
洗う	アライン
叩く	タタチュン
剥く	ンチュン
かき混ぜて一緒にする	カチャースン
巻く	マチュン
丸める	マルミーン
結ぶ	ムシブン
もみつぶす	ムンピラカスン
すりつぶす	ミミジュン
選ぶ	イラブン
煮る	ニユン
焼く	ヤチュン
炊く	タチュン
揚げる	アギユン
炒める	イリチュン
蒸す	ウブスン
炙る	アブユン
温める	アチラスン
熱をさます	サマスン
沸かす	ワカスン
沸騰する	フチュン
こぼす	イッケーラスン

77

和える	イェーユン
のり状にしたてた料理	プットゥルー
魚の塩蒸し〈塩煮る〉	マースニー
塩漬け	スーチャー
汁の中に入れる具〈実〉	ミー
ご飯に汁をかけたもの〈汁漬け〉	シルジキー
旨い	マーサン
香ばしい	カバサン
甘い	アマサン
辛い	カラサン
塩辛い	シプカラサン
とても塩辛い	スージューサン
苦い	ンジャサン
すっぱい	シーサン
あまずっぱい	シーサアマサン
深みのある味	アジクーター
薄味	アファサン
焦げ	ナンチチ
匂い	カジャ
焦げ匂い	ナンチチカジャー
生煮え	ナマニー
煮え過ぎのさま	ニークタクター
何度も煮返すこと	タジラシケーサー
固い	クファサン
柔らかい	ヤファラサン
腐る	クサリン
饐える（すえる）	シーユン

沖縄料理

沖縄そば	スバ
豚足を煮込んだ汁	足ティビチ
豚のみそ汁	イナムドゥチ
豚の腸の吸い物	中身のシームン
豚の骨付きあばら肉の煮込み汁	ソーキ汁
豚のレバーの煎じ	汁シンジ
豚の耳のさしみ〈耳皮〉	ミミガーさしみ
豚の角煮	ラフテー
エラブウミヘビの汁	イラブー料理
固まる前の柔らかい豆腐	ユシドーフ
揚げ豆腐	揚ドーフ
落花生で作った豆腐	ジーマーミドーフ
炊き込みご飯	クファジューシー
柔らか雑炊	ヤファラジューシー
冬至の時に食べる炊き込みご飯	冬至ジューシー
豆腐と野菜の炒め物	チャンプルー
炒めたそうめん	ソーミンチャンプルー
炒め煮	イリチー
豚の血の炒め物	血イリチー
シナチクの炒め煮	スンシーイリチー
昆布と豚肉を炒める	クーブイリチー
豆腐と野菜のみそ煮	ンブシー
油みそ	アンダンスー
沖縄風のお好み焼き	ヒラヤーチー
人参の千切り料理	ニンジンシリシリー

琉球菓子

お菓子	ウクヮーシ
あめ玉	アップリ
沖縄風おこし	ハチャグミ
落雁	コーグヮーシ
黒糖風味の焼き菓子	タンナファクルー
球形の揚げ菓子	サーターアンダギー
祝儀用の天ぷらの一種	カタハランブー
浜下り用の揚げ菓子〈三月菓子〉	サングヮチグヮーシ
沖縄風お好み焼き	ヒラヤーチー
黒糖入りの沖縄風クレープ	チンピン
油みそ入りの焼き菓子	ポーポー
月桃の葉に包んだ餅	カーサムーチー
正月用のみそ入り餅〈年頭みそ〉	ナットゥンス
十五夜用の小豆をまぶした餅	フチャギ
平麦、小豆などのぜんざい風菓子	アマガシ
柑橘類の砂糖煮	チッパン
冬瓜の砂糖煮	トウガヅケ
沖縄風くず餅	クジムチ
はったい粉を餡にした饅頭	ティンピヌメーマンジュー
首里名物の山城饅頭	ヤマグシクマンジュー
「の」の字が書かれた首里の饅頭	のーまんじゅう
子供に与える目覚まし用の菓子	ミークファヤー

●ミークファヤー ────────────

　子供が目を覚ました時に与える少量のお菓子などのこと。起きたばかりの
ぼーっとしている子に食べさせて目を覚まさせる。本土では「おめざ」という。

困 惑

● どうにかなりませんか。
如何ガナ　ナイビラニ
（チャー）

如何　サビタガ（どうしました）
（チャー）

....

● 血相を変えてどこへ行くのか。
（けっそう）
性抜ギティ　何処カイガ
（ソーヌ）　　（マー）

何ガナ　アイルスティー（何かあったの）
（ヌー）

....

● 極度の苦しみで、大変やつれていた。
哀リ　タキチキティ　大変　ヤチリトータン
（アワ）　　　　　　　（イッペー）

肝苦サンヤー（気の毒だね）
（チムグリ）

....

● またも不合格，もう何をする気もないよ。
マタン　不合格　チルダイスッサー

ジャーフェー　ナトーサ（困ったことになった）

....

● そんなに焦って、明日も日はあるよ。
（あせ）
アンシ　アシガチシ　明日ン　日ヤ　アサ
（アチャー）（ヒー）

慌ティランケー　ヨーンナーヤサ（急ぐなよ、ゆっくりやろう）
（アワ）

....

●一人だから寂(さび)しいはずだ。
　ドゥーチュイ　ヤクトゥ　寂(サビ)ッサル　ハジドー

　フシガランヤー（たまったものじゃないね）
....
●こんなに遅(おそ)くなっているが、何かあったのかなあ。
　ナマディー　ナトーシガ　何(ヌー)ン　アイドゥスタガヤー

　太郎ヤ　チョーミ（太郎は来ているか）
　今(ナマ)　帰(ケー)ユンディ　電話(ディンワ)ヌ　アイビータン（今、帰ると電話ありました）
....
●皮肉(ひにく)られているような気分になった。
　ウチアタイ　シミラサッタン

　アンドゥヤティー（そうだったのか）
....
●冗談(じょうだん)を言わないで下さい。
　テーファー　シミソーンナケー

　本当(フント)ーヤラー　大事(デージ)ドー（本当ならやっかいだぞ）
....
●お前はどうして怒(おこ)っているのか。
　ィヤーヤ　何(ヌー)ンチ　ワジトーガ

　何(ヌー)ガ　言(イー)ブサラ　諸(ムル)　分(ワカ)ラン（何を言いたいのかさっぱり分からない）
　我(ワン)ガ　悪(ワ)ッサイビータン（私が悪かった）
....

82

●こらえて下さい。
堪ーティ　クィミソーリ

逃ーラチ　クィミソーリ（見逃して下さい）
バッペーヤクトゥ　堪ーティクィリ（過ちだからこらえてくれ）

....

●間違っています。
バッペートーイビーン

銭ヌ　計算バッペー　ソーイビンドー（お金の計算が間違っていますよ）

....

●もう帰るのか、お茶でも飲んで行きなさい。
ナー　帰インナー　茶ーン　飲ディ　行チルスル

ナー　一時　待ッチトゥラセー（もうちょっと待って下さい）
一杯茶ーヤ　飲ムシヤアラン（一杯だけのお茶は飲まないもの）

....

●あれよりこれがよい。
アリヤカ　ウレーマシ

納得　アランシガ　合点ヤサ（納得はしていないが合点だ）

....

●あれ、こまったなあ、５百円不足している。
アイ、ジャーフェーナトーサ、５百円　フソクソールムン

チャッサ　持ッチョーガ（いくら持っているの）

....

樹木

デイゴ	ディーグ
福木（ふくぎ）	フクジ
榕樹（ようじゅ）	ガジマル
仏桑花（ぶっそうげ）	アカバナー
アコウ	ウスク
島桑（しまぐわ）	クヮーギ
イヌマキ	チャーギ
モッコク	イーク
センダン	シンダン
黒木・黒檀（くろき・こくたん）	クルチ
松	マーチ
モモタマナ	クワディーサー
柳（やなぎ）	ヤナジ
イタジイ	シィジャ
オオハマボウ	ユーナ
シャリンバイ	ティカチ
ツツジ	チチジ
サガリバナ	キーフジ
サキシマフヨウ	ヤマユウナ
ギンネム	ニーブヤーギー
ソテツ	スーティーチャー
ビロウ	クバ
糸芭蕉（いとばしょう）	バサウー
竹	ダキ
モンパノキ	ハマスーキ

84

草花・果実

ホウセンカ	ティンサグ
ツワブキ	チーパッパ
アキノワスレグサ	クワンソウ
ススキ	グシチ
ムラサキカタバミ	ヤハタ
月桃 <small>げっとう</small>	サンニン
メドハギ	ソーローグサ
ホウロクイチゴ	ウフイチビ
ナワシロイチゴ	ムンジュルイチビ
クワズイモ	イゴーンム
セイロンベンケイ	ソーシチグサ
ノボタン	テーニー
ルリハコベ	ミンナ
チガヤ	カヤ
イグサ	ビーグ
ハマヒルガオ	ハマカンダ
果実 <small>か じつ</small>	ナイムン
イチゴ	イチュビ
みかん	クニブ
山桃 <small>やまもも</small>	ヤマムム
グミ	クービ
桑の実 <small>くわ</small>	ナンデーシー
パパイヤ	パパヤー。マンジュウイ
グヮバ	バンシルー
レイシ	リーチ

85

● 沖縄のみかん

　沖縄には、国内や外国から導入されたみかん類が百種以上もあるそうですが、比較的よく知られているのは下記の通りである。

　カーブチー………沖縄在来で9月〜11月に収穫する。

　オートー…………沖縄在来で11月〜12月ごろに収穫する。

　シークヮーサー…沖縄在来で生食用は12月ごろに収穫する。

　タンカン…………台湾から導入され、正月の頃に熟する。

　クガニー…………皮がふかふか、実は甘いが袋に苦みがある。12月〜1月かけてが美味。

● 沖縄の野イチゴ

　リュウキュウイチゴ…1〜2メートルの低木、熟するとオレンジ色で甘ずっぱい。沖縄の野イチゴの中ではもっとも美味といわれる。4月〜5月に実をつける。方言名はシシクィッチビ。

　ホウロクイチゴ…茎はツル状で地をはうように伸びる低木。赤く熟した実は酸味がなくて甘い。4月〜6月に実をつける。方言名はウフイチュビ。

　リュウキュウバライチゴ…1メートルほどの低木。実は球形で赤みを帯びた紫色。3月〜4月に実をつける。方言名はサングヮチイチビ。

　※野イチゴの収穫時期は、ハブが活発に活動を始めるころと重なり、「イチュビヌ　シチャヤ　ハブ　ドゥクル（イチゴの下はハブどころ）」として注意されたという。

● 島桑（しまぐわ）

　方言名はクヮーギやナンデンシー。日本では、南西諸島にのみ分布しており、沖縄に適した品種である。果実は熟すると甘ずっぱく美味で、小鳥たちが実を求めてやってくる。実が熟するのは4月〜5月。

● 山桃（やまもも）

　3月〜4月に赤紫色に熟した実をつける。その昔、清明祭のころには、「桃売り娘」と呼ばれる女たちが竹カゴに入れた山桃を頭に乗せて、首里、那覇の町を売り歩いていたという。方言名はヤマムム。

ほ乳類

動物	イチムシ
犬	イン
琉球犬	シマイン。トゥラー
猫	マヤー
山猫	ヤママヤー
豚	ゥワー
黒豚（くろぶた）	アグー
馬	ンマ
牛	ウシ。ウシモーモー（幼児語）
山羊（やぎ）	フィージャー。ベーベー（幼児語）
猪（いのしし）	ヤマシシ
ウサギ	ウサジ
猿（さる）	サールー
虎（とら）	トゥラ
ネズミ	ウェンチュ
ジャコウネズミ	ビーチャー
コウモリ	カーブヤー
マングース	マングースー
ジュゴン	ザン。ザンヌイユ
クジラ	グジラ

●動物の鳴き声

面白（おもしろ）いことに、動物の鳴（な）き声（ごえ）はその土地のことばの音に似て聞こえる。したがって、日本語と英語とでは動物の鳴き方が違（ちが）ってくる。沖縄語と日本語でも違いがあり、沖縄では犬はワウワウ、牛はンモー、山羊はンベー、鶏はクックルーウッと鳴くのである。

鳥　類

鳥	トゥイ
鶏（にわとり）	ニワトゥイ
アヒル	アヒラー
チャボ	チャーン
シャモ	タウチー
雀<ruby>すずめ</ruby>	クラーグゥー
ヒバリ	チンチナー
メジロ	ソーミナー
ヒヨドリ	スーサー
アカショウビン	クカルー
鳩<ruby>はと</ruby>	ホートゥ
烏<ruby>からす</ruby>	ガラサー
ツバメ	カジフチマッタラー。マッタラー
ウグイス	チョッチョー
ウズラ	ウジラー
千鳥<ruby>ちどり</ruby>	チジュヤー
鷹<ruby>たか</ruby>	タカ。チンミー
ガチョウ	ガーナー
キツツキ	キータタチャー
ヤンバルクイナ	ヤマドゥイ。アガチ
サギ	サージ

●ことわざ ─────
　　鷹<ruby>タカ</ruby>ん　もーれー　烏<ruby>ガラシ</ruby>ん　もーゆん
　　鷹<ruby>たか</ruby>が舞<ruby>ま</ruby>うと烏<ruby>からす</ruby>も舞う。自分の能力も考えずに、下手<ruby>へた</ruby>に人のまねをすると失敗する
するという教え。鵜<ruby>う</ruby>のまねをする烏水におぼれる。

88

陸の生き物

トンボ	アーケージュー
ヤンマ	ターマー
イトトンボ	センスルー
ウスバキトンボ	カジフチアーケージュー
クマゼミ	サンサナー
アブラゼミ	ナービカチカチー
クロイワニイニイ	ジージーグヮー
クロイワツクツク	ジーワー
蜂 <small>はち</small>	ハチャー
スズメバチ	チブルバチャー
蝶 <small>ちょう</small>	ハーベールー。アヤハベル
蛾 <small>が</small>	ハベール
テントウムシ	カーミーグヮー
ミノムシ	フクタームシ
毛虫 <small>けむし</small>	キームシ
シャクトリムシ	ハカヤームシ
ホタル	ジーナー。ジンジン（幼児語） <small>ようじご</small>
バッタ	セー
イナゴ	ンナグラゼー
カマキリ	イサトゥー
ナナフシ	ソーローンマ
カミキリムシ	カラジクェー
カナブン	カーニーグンバー
アオドウガネ	クスブン
クワガタムシ	ハサマー

カイコ	イーチュームシ
蟻（あり）	アイコー
蜘蛛（くも）	クーバー
チブサトゲグモ	イシガンガラー
コオロギ	カマジェー
オケラ	ジージーウヮーグヮー
はんみょう	ミチソージサー
アオカナヘビ	ジューミー。ナガジュー
キノボリトカゲ	コーレーグスケー。アタク
トカゲ	アンダクェー。アンダチャー
ムカデ	ンカジ
ミミズ	ミミジャー
カタツムリ	チンナン
ナメクジ	アマライムシ。アンダムサー
サソリ	ヤマンカジ
ヤモリ	ヤールー
ゴキブリ	トービーラー。ヒーラー
蚊（か）	ガジャン
蝿（はえ）	フェー
金蝿（きんばえ）	オーベー
小さい蝿	シーベー
ノミ	ヌミ
シラミ	シラン
ヤスデ	ヤンバルムシ
亀（かめ）	カーミー
ハブ	ハブ。ナガムン
アカマタ	アカマター

淡水の生き物

カエル	アタビチ。アタビチャー
オタマジャクシ	アミナー。ビルー
イモリ	ソージムヤー
鯉 こい	クーイユ
鮒 ふな	ターイユ
金魚 きんぎょ	ランチュー
闘魚 とうぎょ	トーイユ
メダカ	タカマーミー
カワスズメ	テラピア
ウナギ	ンナジ
カワエビ	タナガー
タニシ	ターンナ
アメンボ	トントンミー
ゲンゴロウ	ターイーフェー
ボウフラ	アミヌックワ

●テラピア

　アフリカ原産で沖縄には3種のテラピアがいる。1954年、戦後の食糧危機で台湾から持ち込まれるが、食卓には受け入れられなかった。生命力が強い魚で汚れた河口域にも定着する。また、テラピアは卵を口の中で守り、孵化後も危険がせまると子どもは親の口の中に隠れる。

●トーイユ（闘魚）

　闘魚の闘いを「トーイユオーラシェー」という。試合開始で、互いに体をふるわせてにらみ合う。やがて、相手のスキを見て、いきなりかみついて振りまわしたり、尾ひれでたたきつけたりする。一方が逃げ出すことで勝負が決まる。

海水魚

魚	イユ
タカサゴ	グルクン
キビナゴ	スルルー
鰯（いわし）	ミジュン
ハタ	ミーバイ
ハリセンボン	アバサー
アオダイ	シチューマチ
ハマダイ	アカマチ
ヒメダイ	クルキンマチ
メイチダイ	シルイユ
イットウダイ	アカイユ
スジアラ	アカジンミーバイ。アカジン
カマス	カマサー
鰹（かつお）	カチュー
マグロ	シビ
グルクマ（鯖（さば）の一種）	グルクマー
ブダイ	イラブチャー
シロクラベラ	マクブ。マクブー
サヨリ	ハーイユ
アイゴ	エイグヮー
クロダイ	チン
スズメダイ	ヒチグヮー。ヒカアグヮー
カイワリ	ガーラ
カワハギ	カーハジャー
ハマフエフキ	タマン

イソフエフキ	クチナジ
ニセクロホシフエダイ	ヤマトゥビー
ヒメジ	カタカシ
キス	ウジュル
ボラ	ブラ
コチ	クチヌイユ
タチウオ	タチヌイユ
メアジ	ガチュン
トビウオ	トゥブー
トビハゼ	トントンミー
ダツ	シジャー
ウツボ	ウージ
サメ	フカ。サバ
エイ	カマンタ
タツノオトシゴ	ウミンマグヮー

●沖縄の三大高級魚 ─────────────

・はまだい（アカマチ）：クセのない白身で主にすしネタとして利用される

・すじあら（アカジンミーバイ）：ハタ類の中でもっとも美味とされる

・しろくらべら（マクブー）：きれいな白身の魚でまったくクセがない

●スクガラス ─────────────

　沖縄語でアイゴの稚魚を「スク」、塩漬けを「カラス」という。よって、スクガラスとはアイゴの稚魚を塩漬けにした塩辛のこと。沖縄では、島豆腐にのせて食べるのが普通である。その際、スクガラスは丸ごと噛み砕いて食べるが、注意しなければならないのは頭から食べるということである。しっぽから食べると、あのかたいヒレが喉に刺さる危険性があるので、子どものころは良く注意されたものであった。

海や海辺の生き物

クジラ	グジラ
イルカ	ヒートゥ
ジュゴン	ザン。ザンヌイユ
イカ	イチャ
コウイカ	クブシミ
タコ	タク
クラゲ	クラジ
カニ	ガニ
ワタリガニ	ガサミ
ヤシガニ	アンマク
イセエビ	イビ
ナマコ	シチラー
オニヒトデ	トゥガシチャー
貝	ケー
巻貝の総称	モーモーグヮー
サザエ	マーンナ
シャコガイ	アジケー
ハマグリ	アファケー
アワビ	アービ
スイジガイ	イチマブヤー
ヤコウガイ	ヤクゲー
ホラガイ	ブラゲー
タカラガイ	スビ
タカセガイ	タカンナ
ウミニナ	チンボーラー

(巻貝の総称: まきがい そうしょう)

サンゴ	サング
ヤドカリ	アーマン
エラブウナギ	イラブー
ウミヘビ	ウミハブ
ウミガメ	ウミガーミー
海藻類	ムー
モズク	スヌイ
イバラノリ	モーイ
ヒトエグサ	アーサ
カイジンソウ	ナチョーラ

（かいそうるい＝海藻類）

● 沖縄民謡　海ぬチンボーラー ────────────────────

1. 海ぬ　ちんぼーらー小　逆なやい　立てぃば
　　足ぬ　先々　危なさや
　（はやし）　支度ぬ　悪っさや　側なりなり
　　　　　　さー　浮世ぬ　真ん中
　　　　　　ジサジサ　実際　島ぬ　ヘイヘイ　ヘヘイ

2. 海ぬ　さし草や　あん美さ　なびく
　　我身ん　里前に　うちなびく
　（はやし）

歌詞の意味
1. 海の巻貝（ウミニナ）が　逆さに立ったら　足の先々に注意しなさい
2. 海の草は　あのように美しくなびく　我が身は彼人に　うちなびくよ
　※この歌は、伊江島の民謡が那覇の遊郭に伝わり、歌詞も節も変化して
　　歌い継がれている。

働く・仕事

●職業は何ですか。

ワジャー　何（ヌー）　ソーイビーガ

海（ウミ）アッチャー　ソーイビーン（漁師をやっています）
何処（マー）　ウトーティ　働（ハタラ）チョーイビーガ（どこで働いていますか）

....

●忙（いそが）しいですか。

イチュナサイビーミ

クヌグロー　如何（チャー）ヤイビーガ（近頃（ちかごろ）はどうですか）
大変（イッペー）　イチュナサイビーン（とても忙しいです）

....

●今度の農作物はいかがですか。

今度（クンドゥ）ヌ　農作物（ムジュクイ）ヤ　如何（チャー）ヤミセーガ

大変（イッペー）　ユタサイビーン（とてもいいです）
今月（クンチチ）ー　苦瓜（ゴーヤー）　植（ウィ）ヤビラニ（今月は苦瓜（にがうり）を植えませんか）

....

●どこを見たいか。

何処（マー）　見（ミー）ブサガ

アマネー　何（ヌー）ヌ　野菜（ヤシェー）ヌアガ（あそこには何の野菜（やさい）があるの）
大根（デークニ）　植（ウィ）ーテーン（大根（だいこん）を植えている）
何（ヌー）ガナ　手伝（ティガネ）ースミ（何か手伝うか）

....

96

● 太郎ほどの働き者はいない。

　太郎サク　アガチャーヤ　ウラン

　ナー　３時デームヌ　中憩<ruby>中憩<rt>ナカユクイ</rt></ruby>サナ（もう３時なので中休みしよう）

....

● 僕らが全盛期<ruby>全盛期<rt>ぜんせいき</rt></ruby>のころなら、その程度<ruby>程度<rt>ていど</rt></ruby>はどうってことなかった。

　<ruby>我達<rt>ワッター</rt></ruby>ガ　バンジヤタイネー　ウヌアタエー　<ruby>何<rt>ヌー</rt></ruby>ン　アランタン

　<ruby>今日<rt>チュー</rt></ruby>ヤ　<ruby>気張<rt>チバ</rt></ruby>トーサヤー（今日は張り切っているね）

....

● 誰<ruby>誰<rt>だれ</rt></ruby>でもできる仕事はないか。

　<ruby>誰<rt>ター</rt></ruby>ガヤティン　<ruby>出来<rt>ナイ</rt></ruby>ル　<ruby>仕事<rt>シクチェ</rt></ruby>ー　ネーラニ

　ングトール　<ruby>仕事<rt>シクチン</rt></ruby>チン　アミ（そんな仕事があるか）

....

● 先輩方<ruby>先輩方<rt>せんぱいがた</rt></ruby>のやることを見聞<ruby>見<rt>み</rt></ruby><ruby>聞<rt>き</rt></ruby>きして、ちゃんと覚<ruby>覚<rt>おぼ</rt></ruby>えろよ。

　<ruby>先輩方<rt>シージャヌチャー</rt></ruby>ガスシ　<ruby>見慣<rt>ミーナ</rt></ruby>リ<ruby>聞<rt>チ</rt></ruby><ruby>慣<rt>ナ</rt></ruby>リシ　ユー<ruby>覚<rt>ウビ</rt></ruby>リヨー

　ウー、<ruby>今日<rt>チュー</rt></ruby>ヤ　<ruby>何<rt>ヌー</rt></ruby>サビーガ（はい、今日は何をしましょうか）

....

● しまった、手に負えない事態<ruby>事態<rt>じたい</rt></ruby>になった。

　ダーナー、<ruby>山切<rt>ヤマチ</rt></ruby>ッチャル　ムン

　<ruby>如何<rt>チャー</rt></ruby>スガヤー（どうしよう）
　<ruby>手伝<rt>ティガネ</rt></ruby>ー　サンダレー　ナランドー（手伝いしないといけないよ）
　<ruby>夜<rt>ユル</rt></ruby>ヌ　ニッカナーマディ　<ruby>気張<rt>チバ</rt></ruby>リヨー（夜遅くまで<ruby>頑張<rt>がんば</rt></ruby>れよ）

....

● 荷物が重くて疲れたよ。
荷ヌ　重サヌ　ウタタッサー

我ガ　畑ー　耕ーチ　ウサギーサ（私が畑は耕してあげますよ）

....

● 山羊の草刈りは太郎の役目です。
山羊ヌ　草刈イシェー　太郎　役目ヤイビーン

ヤシガ　家ウティ　遊ドーン（だけど、家で遊んでいるよ）

....

● どっちみち間に合わないよ。
アンシンカンシン　間ニアーランサ

ディー　憩ラナ（さあ、休もうよ）
アンサナ（そうしよう）

....

● どう、商売はうまくいっているか。
如何ガ　商売ヤ　ナトーミ

口ヌメーヌ　アタエー（食べていける程度は）
良　仕事ヌ　アイビーミ（いい仕事がありますか）

....

● 仕事ははかどっているか。
仕事　アガチョーミ

大変　難サッサー（とても難しいなあ）

....

98

●あの大工は仕事は早いが荒い。
アヌ大工ェー　手ー早サシガ　手ー荒サン

ウヌ　アタェー　我ガ　ナイビーサ（その程度なら僕ができますよ）

....

●そうではない、こうだよ。
アネーアランサ　カンドゥヤル

アンドゥヤガヤー　カネーアラニ（そうなのか、こうではないのか）
ダー、アンシーネー　クマヌ　ウカシクナイセー
（ほら、そうすると、ここがおかしくなるさ）
良考ェーヌ　アイビーミ（いい考えがありますか）

....

●昨日はどうでしたか。
昨日ヤ　如何　ヤイビータガ

ヒティミティカラ　イチュナサイビータン（朝から忙しかったです）
ヤクトゥル　言チェーサニ（だから言ったじゃないか）

●ことわざ ────────────────────
仕事ー　仕事ぬどぅ　習ーする
仕事は仕事がこそ習わせる。仕事の要領は、仕事を続けていく中で上手になっていくという意味。気持ちを切らさずに励むことの大切さを教えている。

大工ー　道具　勝い
大工は腕よりも道具である。大工（職人）の腕は、道具の善し悪しに左右されるということ。実際、腕のたしかな職人はよい道具をそろえ、決して道具の手入れを怠らないという。

人の一生

妊娠する	カサギーン
祝宴〈祝儀〉	スージ
祝い	ユーエー
満一才の誕生祝い	タンカーユーエー
十三祝い	ジュウサンユーエー
結婚	ニービチ
88才の祝い〈斗掻〉	トーカチ
97才の祝い〈風車〉	カジマヤー
法事〈焼香〉	スーコー
臨終	ミーウティ。マーチャン
葬式翌日の墓参り〈翌日見舞い〉	ナーチャミー
死後7日ごとの焼香〈七日祭〉	ナンカ
四十九日	シンジュウクニチ
年忌	ニンチ
一周忌	イヌイ
三十三年忌〈終り焼香〉	ウワイジューコー
墓	ハカ。シンジュ。チカジュ
亀甲墓	カーミナクーバカ
破風墓	ハーフーバカ
骸骨	カラフニ
祝儀・香典〈御酒代〉	ウスデー

●破風墓と亀甲墓

　琉球王国時代、破風墓と亀甲墓を庶民が持つことは禁じられていた。これが許されるのは1879年の廃藩置県後のことである。沖縄で最大最古の破風墓は、尚真王によって築かれた第二尚氏王統の「玉陵（たまうどぅん）」である。

年中行事

年中行事〈折目節日〉	ウイミシチビ
お祭り	ウマチー
正月	ソーグヮチ
一年間の仕事始めの日〈初起し〉	ハチウクシ
後生の正月	ジュウルクニチー
祭りでの練り行列〈道ジュネー〉	ミチジュネー
浜下り	ハマウリ
清明祭	シーミー
虫除けの行事〈畦払い〉	アブシバレー
旧暦五月四日	ユッカヌヒー
爬竜船競漕	ハーリー。ハーレー
稲穂祭〈五月祭り〉	グングヮチウマチー
稲の収穫祭〈六月祭り〉	ルクグヮチウマチー
綱引き	チナヒキ
七夕	タナバタ
旧盆	シチグヮチ
お迎え〈祖霊を迎える〉	ウンケー
お送り〈祖霊を送る〉	ウークイ
妖火日〈悪霊払い〉	ヨーカビー
柴差し〈魔物を防ぐ〉	シバサシ
八月十五夜	ジュウグヤー
冬至	トゥンジー
鬼餅	ムーチー
火の神願いを解く〈御願解き〉	ウガンブトゥチ
大晦日	トゥシヌユルー

101

神仏と御願

神仏への願掛け〈御願〉	ウグヮン
願掛けの不足	ウグヮンブスク
御願をする所〈拝所〉	ウガンジュ
火の神	ヒヌカン
弥勒菩薩	ミルク
賓頭慮	ビジュル
姉妹の神	ウナイガミ
霊力の高い生まれ	サーダカサン
魂（たましい）	マブイ
集落の聖地（御嶽）	ウタキ
風水	フンシー
神女の総称〈神人〉	カミンチュ
祝女	ノロ
巫女	ユタ
三世相	サンジンソウ
神霊が付いている人〈神の子〉	カミングヮ
寺	ティラ
坊主	ボージ
先祖	ウヤファーフジ
仏壇	ブチダン
位牌	イフェー。トートーメー
本家〈元家〉	ムートゥヤー
閏月（うるうづき）	ユンジチ
琉球神話の開闢神	アマミキヨ
東方の海の彼方にある楽土	ニライカナイ。ニレーカネー

御願の供え物

お供え物	ウサギムン
神仏へのお供え物をいただく	ウサンデー
線香 せんこう	ウコー
沖縄線香の一つ〈一片御香〉	チュヒラウコー
沖縄線香の半分〈三本御香〉	サンブンウコー
火をつけずに供える線香	ヒジュルウコー
御願に使う白い紙 ウ ガン	シルカビ
御願に使う色紙で作った段紙	イルカビ
香炉〈御香炉〉 こう ろ	ウコール
火の神を祀る白い香炉 まつ	カミウコール
先祖を祀る青い香炉	グヮンスウコール
御願で使うお米〈花米〉	ハナグミ
あの世のお金〈打紙〉	ウチカビ
神仏に供えるご飯 しんぶつ	ウブク
神仏に供える水〈水祷〉	ミジトー
神仏に供えるお茶〈御茶湯〉	ウチャトー
神仏に供える餅 もち	ウチャヌク
神仏に供える重箱料理〈御三味〉	ウサンミ
餅を詰めた重箱〈餅重〉	ムチジュー
神仏に供える酒〈御五水〉	ウグシー
神仏に供える錫製の酒器 すず しゅ き	ビンシー

●ビンシー（木箱）

　ビンシーとは、一対の酒器のことであるが、祭祀具を入れる携帯用の木箱もビンシーという。この長方形の木箱には、ビンシー、盃、線香、花米、塩などが入れてある。木箱の貸し借りをしてはならない。

妖怪・悪霊

魔物 （まもの）	マジムン
悪霊。悪人 （あく・りょう）	ヤナムン
鬼	ウニ
木の精	キジムナー。ブナガヤ
魔物におそわれる	ウサーリーン
河童 （かっぱ）	カムロー
人魂。怪火 （ひとだま）（かいか）	タマガイ。ヒーダマ
成仏してない霊の火魂〈遺念火〉 （じょうぶつ）（れい）（ひだま）	イニンビー
幽霊 （ゆうれい）	ユーリー
霊感が強く幽霊をよく見る人 （れいかん）	ユーレンジャー
霊から惑わされる （まど）	マヤーサリーン
霊に憑かれる落ち着かないさま （つ）	サーサースン
神霊などがのりうつるさま〈垂れ〉 （しんれい）	ターリ
迷った霊 （まよ）	マユイムン
魂（たましい）	マブイ
魂が抜け落ちること	マブヤーウティ。マブヤーヌギ
落ちた魂を体内に戻す儀式 （ぎしき）	マブイグミ
予兆〈前知らせ〉 （よ・ちょう）	メーシラシ
くしゃみの時のおまじない	クスクェー
猫の嫌な鳴き声 （いや）	マヤーヌヤナナチ

● キジムナー

　ガジュマルやアコウの古木に宿る妖怪のこと。赤い髪をした赤ら顔の小柄な子どもという目撃談が多い。魚を捕るのがうまく、魚の左目だけしか食べないのでキジムナーと友達になると大漁をする。また、人間の屁、熱い鍋蓋、鶏を嫌い、これらの禁忌を破った人間には恐ろしい仕返しが待っている。

喜び・お祝い

●あまりの嬉（うれ）しさに飛び上がって喜んだ。

ドゥク　ウッサヌ　トゥンモータン

御祝（ウユエー）　ウンヌキヤビラ（お祝いを申し上げます）
良（イー）　御祝儀（グスージ）　ヤイビータン（りっぱなお祝いでした）

●今日は親戚（しんせき）の結婚式だよな。

今日ヤ（チュー）　親戚ヌ（ウェーカ）　根引（ニービチ）　ヤンドーヤー

チュラ　花嫁（ミーユミ）　ヤイビーンヤー（美しい花嫁さんですね）
大変（イッペー）　良（イー）　根引（ニービチ）　ヤタンヤー（とても良い結婚式でしたね）

●歌をうたって座（ざ）をにぎやかにする。

歌アビヤーニ（ウタ）　座（ジャー）　ハネーカスン

ウドゥイン　出来ラチ（ディキ）　クーヨー（踊（おど）りも上手（うま）くやってこいよ）
太郎ヤ　座（ジャー）　ハネーカサヤッサー（太郎は座を盛（も）り上げる人だよ）

●原山勝負（はるやましょうぶ）でイモは一等になった。

原山勝負ンジ（ハルヤマスーブ）　芋（ンモー）　一等ナタン（イットー）

シタイヒャー（でかした）

※ハルヤマスーブとは、農地や山林などの優劣（ゆうれつ）を競う農事奨励会（のうじしょうれいかい）、農事品評会（めうえ）のこと。なお、目上の人には「シタイサイ」を使う。

105

● 子どもが生まれてありがたいことですね。
童ヌ　生マリティ　ウーグトゥ　ヤイビーンヤー

大変　ウッサン（とてもうれしい）
アヤカラーチ　クィミソーリ（あやからせて下さい）

....

● いいときに来てくれた、手伝ってくれよ。
イーバー　チェーサ　加勢シ　トゥラセー

運ヌ　アタンヤー（運が良かったな）

....

● とてもおかしくてお腹が痛むほど笑った。
大変　ウカサヌ　腹ヌ　痛ムカ　笑タン

アンスカ　ウカサティー（そんなにおかしかったか）

....

● 食べ物にありつく果報がある。
食果報ヌ　アン

イャーヤ　食果報ヌ　アサ（君は食にありつく果報があるね）
一緒ナティ　噛メー（いっしょになって食べなさい）

....

● おかげさまで大学入試も合格しました。
御陰ニ　大学ヌ　試験ヌン　通イビタン

大変　メディタイクトゥ　ヤイビーサ（とてもめでたいことですね）

....

106

岩石・金属

砂	シナ
土	ンチャ
石	イシ
岩〈瀬〉	シー。マギイシ
泥〈どろ〉	ドゥル
石灰岩を細かく砕いたもの〈石粉〉	イシグー
黄金〈こがね〉。金	クガニ。チン
銀	ナンジャ
銅	アカガニ
鉄	クルカニ
鋼〈はがね〉	ハガニ
真鍮〈しんちゅう〉	チジャク
鋳物〈いもの〉	イムン
トタン	トゥータン
ブリキ	シチタンガニ
青錆〈あおさび〉	オーサビ
空缶〈あきかん〉	カンカラー
石油〈石炭油〉	シチタンユー

●沖縄のおもな土

国頭〈くにがみ〉マージ……赤黄色で強酸性〈せきおうしょく きょうさんせい〉。酸性土壌〈どじょう〉を好むパイナップルや果樹を栽培〈かじゅ さいばい〉。

島尻〈しまじり〉マージ……暗赤色〈あんせきしょく〉で弱アルカリ性。サトウキビや野菜を栽培。

カニク…………沖積土壌〈ちゅうせき〉のこと。褐色〈かっしょく〉～青灰色〈せいかいしょく〉で、かつては水稲〈すいとう〉が主な作物。

ジャーガル……灰色〈はいいろ〉で弱アルカリ性、サトウキビや野菜を栽培。

ニービ…………黄褐色〈おうかっしょく〉～茶色をした砂層〈さそう〉。島ニンジンや島ラッキョウを栽培。

クチャ…………青灰色でアルカリ性。細かい粒子〈こま りゅうし〉の土で透水性〈とうすいせい〉がない。

琉球王国時代

唐の世（進貢貿易の時代）	トウノユー
御主加那志前（国王）	ウシュガナシーメー
聞得大君（最高位の神女）	チフィウフジン
按司（国王・王子に次ぐ身分）	アジ
親方（大名）	ウェーカタ
士族	サムレー。ユカッチュ
摂政〈宰相〉	シッシー
三司官〈国務大臣〉	サンシクヮン
地頭代（間切行政の最高責任者）	ジトゥデー
間切（行政区画単位）	マジリ
首里城	スイグシク
御城（首里城）	ウグシク
百浦添（首里城正殿）	ムンダスィー
唐破風（首里城正殿）	カラファーフ
御内原〈大奥〉	ウーチバラ
御殿（王家・按司の邸宅）	ウドゥン
殿内〈士族の屋敷〉	トゥンチ
瓦を乗せた門構え	ヤージョー
唐船	トーシン
御冠船（冊封使の船）	ウクヮンシン
成人男子の髪型	カタカシラ
女子の髪型	ウチナーカラジ
帯をしない女子の着付け	ウシンチー
尾類（遊女）	ジュリ
針突（手の入れ墨）	ハジチ

沖縄語に残る中国語

祖父（大人前）	タンメー
父（大人）	ターリー
兄弟	チョーデー
甘^{あま}ったれ（皇帝）	フンデー
三線（三味線）	サンシン
山賊^{さんぞく}	フェーレー
海賊^{かいぞく}	ハイチェー
闘鶏^{とうけい}	タウチー
象棋^{しょうぎ}（中国式将棋）	チュンジー
東道盆（オードブル用の漆器^{しっき}）	トゥンダーブン
中垣^{なかがき}（魔除^{まよ}けにもなる）	ヒンプン
長持^{ながもち}	ケー
冗談^{じょうだん}	テーファー
腹一杯^{はらいっぱい}	チュファーラ
大変〈一杯〉	イッペー
大概^{たいがい}	テーゲー
古酒^{こしゅ}	クース
ジャスミンティー	サンピンチャ
ヨウサイ	ウンチェー。ウンチェーバー
かぼちゃ	チンクヮー
グァバ	バンシルー

● 中国語の影響^{えいきょう}

　歴史的に中国との交流が長い沖縄だが、中国から入ってきたことばは意外に少ない。空手と料理関係のことを除^{のぞ}けば、沖縄語に残された中国語はわずかな単語ばかりで、それもほとんど忘れられたことばになってきている。

● つつましくお金は使いなさいよ。

クメーキティ　銭ノー　使リヨー

銭ノー　ナンドゥルムン（お金はすべっこいもの）

● 子どもとは笑い合えるが、お金とは笑えない。

子トー　笑ーリーシガ　銭トー　笑ーラン

肝心　第一ドー（心が一番大切だよ）

● 人に痛めつけられても眠れるが、人を痛めつけたら眠れない。

人ンカイ　殺サッテー　眠ダリーシガ　人　殺チェー　眠ダラン

人ナリヨーヤー（りっぱな大人になりなさいよ）

● 五本の指は同じ高さではない。

五ヌ　指ヤ　同丈ヤ　ネーラン

アハー、今ネー　ワカタン（なるほど、今やっと分かった）

● 急いでいるときこそ、落ち着けよ。

慌ティール中　落ティ着キ

焦ガチネー　銭ー　儲キララン（焦るとお金は儲けられない）

●あなた方はそんなふうに教育しているのか。

　イッターヤ　アンシル　物習ーシ<ruby>物習<rt>ムンナラ</rt></ruby>　ソーンナー

　<ruby>家習<rt>ヤーナレ</rt></ruby>ードゥ　<ruby>外習<rt>フカナレ</rt></ruby>ー（家でのしつけが、外でもそのまま出てくる）

．．

●子どもたちには、どんなしつけ方をしているか。

　<ruby>子供達<rt>ワラビンチャー</rt></ruby>ヤ　<ruby>如何<rt>チャー</rt></ruby>ル　<ruby>躾<rt>シチキ</rt></ruby>ガタ　ソーガ

　ドゥク　<ruby>自儘<rt>ジママ</rt></ruby>　シミーネー　フリムン　ナスンドー
　（あんまり<ruby>自分勝手<rt>かって</rt></ruby>にさせていると<ruby>馬鹿<rt>ばか</rt></ruby>になるぞ）

．．

●そんな時には<ruby>叱<rt>しか</rt></ruby>ってはいけないよ。

　ウンナバーネー　ヌラテー　ナランドー

　ナー　<ruby>如何<rt>チャー</rt></ruby>ンネーン、<ruby>心配<rt>シワー</rt></ruby>サンティン　シムサ
　（もう大丈夫だ、心配しなくてもいいよ）

．．

●食事の仕方もあるぞ、がっつくなよ。

　<ruby>物<rt>ムヌ</rt></ruby>ヌ　<ruby>噛<rt>カ</rt></ruby>ミヨーン　アイドゥスル　ヤーサ噛メースナ

　フージン　ネーラン（みっともない）

．．

●彼<ruby>彼<rt>おこ</rt></ruby>が<ruby>怒<rt>おこ</rt></ruby>るとたいへん<ruby>怖<rt>こわ</rt></ruby>いよ。

　アリガ　クサミチーネー　<ruby>大事<rt>デージ</rt></ruby>　ウトゥルサンドー

　ワカトーイビーサ（分かっていますよ）

．．

●なぜそんなにいらだっているのか、なるようにしかならないよ。

何ガ　アンスカナー　アシガチョール　ナイルグトゥル　ナイル

イフェー　落着ケー（少しは落ち着け）
親ンカイヤ　ゲー　サンティンシムサ（親には反抗しなくていいよ）

●そうではない、こうやるんだよ。

アネー　アラン　カンシヤサ

アンシーネー　カンナイルバーヤサヤー（そうすればこうなるわけか）
トー、アンシヤサ　ワカタラヤー（よし、そのようにだ、分かったな）

●滑るのでゆっくり歩いて下さい。

ナンドゥルサクトゥ　ヨーンナー　歩ッチミ　ソーリヨー

ヨーンナー　歩ッキヨー（ゆっくり歩いてよ）

●いっしょにお酒でも飲んでケンカはやめろよ。

一緒　酒グヮー　飲マーニ　オーランケー

ウリ、早ク　言ルスル（それを早くいうんだよ）

●そばで大声を出さないで。

側ウティ　ダテーンナーヤ　アビンナケー

クヌ　童一　大変　肝早サシガ（この子はとても敏感だから）

112

形容詞

美しい	チュラサン
汚_{きたな}い	ハゴーサン
愛_{いと}しい	カナサン
高い	タカサン
安い	ヤッサン
大きい	マギサン
小さい	グマサン
太い	マギサン
細い	ウローサン
長い	ナガサン
短い	インチャサン
重い	ウブサン
軽い	ガッサン
固い	カタサン
柔_{やわ}らかい	ヤファラサン
深い	フカサン
浅い	アササン
粘_{ねば}っこい	ムチサン
脆_{もろ}い	サクサン
厚_{あつ}い	アチサン
低い	ヒクサン
香_{こう}ばしい	カバサン
遠い	トゥーサン
近い	チカサン
早い	フェーサン

遅い	ニーサン
広い	ヒルサン
狭い	イバサン
暑い	アチサン
寒い	フィーサン
熱い	アチサン
冷たい	フィジュルサン
暖かい	ヌクサン
温い	ヌルサン
涼しい	シダサン
粘り強い	シプサン
嬉しい	ウッサン
苦しい	クチサン
優しい	ウェンダサン
怖い	ウトゥルサン
情けない	ナチカサン
涙もろい	ナダヨーサン
懐かしい	アナガチサン
甘い	アマサン
辛い	カラサン
酸っぱい	シーサン
苦い	ンジャサン
塩辛い。しょっぱい	シプカラサン
黒い	クルサン
白い	シルサン
新しい	ミーサン
古い	フルサン

副　詞

ゆっくり	ヨーンナー
早く	フェーク
急に	アッタニ
ひとりでに	ナンクル
とても。非常に	イッペー
大分。かなり	ダテーン
もう。もはや	ナー
まだ	ナーダ
いつも	チャー
たまに。まれに	マルケーティナー
いっしょに	マジュン
まったく。全部	ムル
これだけ	ウッピ
なんと。そんなに	アンシ
そのような	ウングトール
あまり	アンスカ
大きめに	マギマギートゥ
まるごと。そっくり	マンタキー
まぜこぜ	マンチャーフィンチャー
ほんのちょっと。軽く	ヨーングヮー
ずけずけと	ンジャンジャートゥ
こっぴどく	ンジュンジュートゥ
新しく	ミークニ
まっすぐ	マットーバー
煮えてくたくたになるさま	ニークター

おまじない

●幼児が魂（たましい）を落としたときのマブイグミ（魂込）の呪文。

マブヤー　マブヤー　追ティ　来ヨー

※マブヤーとは魂のことで、「魂よ、魂よ、追っかけて来なさいよ」という意味。

●ハブ除けの呪文（読谷村宇座）。

潮汲ミ三良　子孫ヌ　草刈イガル　チョーイビンドー、
長物　側ンカイ　ドゥキナイソーリ

ホージホー　ホージホー　ホージホー

※「潮汲み三良の子孫が草刈りに来ていますので、ハブは側にどいて下さい」
　という意味。

●落雷を避けるための呪文。

桑木ヌ　下デービル

※「桑の木の下にいます」の意味。昔から、雷は桑の木には落ちないといわれ、
　「桑木ヌ下デービル」というわらべ歌も伝わっている。

●犬に吠えられたときの呪文。

ウェーカ　ウェーカ

※ウェーカとは親戚のことで、「親戚だよ、親戚だよ」との意味。これを唱える
　と犬はしっぽを振るという。

●夜、幼児を外出させるときの呪文。

アンマークートゥー　誰ガン　見ダン
アンマーガル　見ジュル

※「お母さん以外の物は見てはいけない、誰も見ていない。お母さんだけが見
　ている」という意味。夜、外出するとき、母親はこの呪文を唱えながら子ど
　もの眉間に薬指で唾をつけ、これを魔除けとした。

●地震のときの呪文。

経塚　経塚

※「チョージカ」とは浦添市経塚のこと。昔、この地に妖怪が出没して人々を
　悩ませていた。そこで日秀上人が小石に経文を写して埋め、さらに金剛嶺の
　碑石を建立して妖怪を退散させた。ある大地震のとき、この経塚だけがゆれ
　なかったことからこの呪文が生まれたという。

●火事のときに叫ぶ呪文。

ホーハイ　ホーハイ

※「女陰をあらわにする」という意味。かつて火災は悪霊がもたらし、それを
　追い払えるのは魔除けとなる女陰といわれていた。

●くしゃみをしたときの呪文。

クスケェー

※「糞食らえ」という意味。風邪を引かないようにする呪文。

117

数　詞

【数・年齢】
一つ……ティーチ
二つ……ターチ
三つ……ミーチ
四つ……ユーチ
五つ……イチチ
六つ……ムーチ
七つ……ナナチ
八つ……ヤーチ
九つ……ククヌチ
十………トゥー

【人数】
1人……チュイ
2人……タイ
3人……ミッチャイ
4人……ユッタイ
5人……グニン
6人……ルクニン
7人……シチニン
8人……ハチニン
9人……クニン
10人……ジューニン

【月】
1月……ソーグヮチ
2月……ニングヮチ
3月……サングヮチ
4月……シングヮチ
5月……グングヮチ
6月……ルクグヮチ
7月……シチグヮチ
8月……ハチグヮチ
9月……クングヮチ
10月……ジューグヮチ
11月……シムチチ
12月……シワーシ

【期間】
1か月……チュチチ
2か月……タチチ
3か月……ミチチ
4か月……ユチチ
5か月……イチチチ
6か月……ムチチ
7か月……ナナチチ
8か月……ヤチチ
9か月……ククヌチチ
10か月……トウチチ

※ 11以上の数詞は、日本語と同じように
　「じゅういち、じゅうに」と数える。

【日】
1日……チータチ
2日……フチカ
3日……ミッカ・ミッチヤ
4日……ユッカ
5日……グニチ
6日……ルクニチ
7日……シチニチ
8日……ハチニチ
9日……クニチ
10日……トゥカ

十五夜………………………ジュウゴヤ
旧暦1月16日………ジュウルクニチ
十三祝い………………ジュウサンユーエー
忌日法要の四十九日…シジュウクニチ
旧暦1日………………チータチ
旧暦15日………………ジュウグニチ
100………………………ヒャーク
1,000……………………シン
10,000…………………イチマン

地　名

沖縄（おきなわ）	ウチナー
首里（しゅり）	スイ
那覇（なは）	ナーファ
豊見城（とみぐすく）	トゥミグシク
糸満（いとまん）	イチマン
東風平（こちんだ）	クチンダ
具志頭（ぐしかみ）	グシチャン
玉城（たまぐすく）	タマグシク
知念（ちねん）	チニン
佐敷（さしき）	サシチ
与那原（よなばる）	ユナバル
大里（おおざと）	ウフジャトゥ
南風原（はえばる）	フェーバル
慶良間（けらま）	キラマ
渡嘉敷（とかしき）	トゥカシチ
座間味（ざまみ）	ザマン
渡名喜（となき）	トゥナチ
久米島（くめじま）	クミジマ
具志川（ぐしかわ）	グシチャー
仲里（なかざと）	ナカジャトゥ
北大東（きただいとう）	キタダイトー
南大東（みなみだいとう）	ミナミダイトー
西原（にしはら）	ニシバル
浦添（うらそえ）	ウラシー
宜野湾（ぎのわん）	ジノーン

中城（なかぐすく）	ナカグシク
北中城（きたなかぐすく）	キタナカグシク
北谷（ちゃたん）	チャタン
嘉手納（かでな）	カディナー
読谷（よみたん）	ユンタンザ
与那城（よなしろ）	ユナグシク
勝連（かつれん）	カッチン
石川（いしかわ）	イシチャー
恩納（おんな）	ウンナ
金武（きん）	チン
宜野座（ぎのざ）	ジヌジャ
名護（なご）	ナグ
本部（もとぶ）	ムトゥブ
今帰仁（なきじん）	ナチジン
大宜味（おおぎみ）	ウゥジミ
東（ひがし）	ヒガシ
国頭（くにがみ）	クンジャン
伊江（いえ）	イージマ
伊平屋（いへや）	イヒヤ
伊是名（いぜな）	イジナ
宮古（みやこ）	ナーク。ミヤク
平良（ひらら）	ピサラ
池間（いけま）	イチマ
来間（くりま）	クリマ
伊良部（いらぶ）	イラブ
多良間（たらま）	タラマ
水納（みんな）	ミンナ

八重山（やえやま）	エェーマ
石垣（いしがき）	イシガチ
竹富（たけとみ）	ダキドゥン
西表（いりおもて）	イリウムティ
与那国（よなぐに）	ユナグニ。ドゥナン
波照間（はてるま）	ハティルマ
北部地方（山原）	ヤンバル
奥武（おう）	オー

●沖縄民謡　谷茶前（たんちゃめぇ）

谷茶前ぬ浜に　　　　　　　　　　　　　（谷茶の前の浜に）

スルル小が　寄てぃてぃんどう　ヘイ　（キビナゴが寄ってきたぞ）

スルル小が　寄てぃてぃんどう　ヘイ　（キビナゴが寄ってきたぞ）

　☆**ナンチャ　マシマシ**

　　　ディ　アングヮ　ソイソイ　　　（さあ、娘さん　連れ立って）

　　　ディ　アングヮ　ヤクシク　　　（さあ、娘さん　約束だよ）

スルル小や　あらん　　　　　　　　　（キビナゴじゃないよ）

大和ミジュンどぅ　やんでぃんどう　ヘイ（大和イワシだってよ）

大和ミジュンどぅ　やんでぃんどう　ヘイ（大和イワシだってよ）

　☆**くり返し**

兄達や　うり捕いが　　　　　　　　　（若者達はそれを捕り）

姉小達や　かみてぃ　うり売いが　ヘイ（娘は頭に乗せて魚を売りに）

姉小達や　かみてぃ　うり売いが　ヘイ（娘は頭に乗せて魚を売りに）

　☆**くり返し**

沖縄語キーワード

沖縄の人	ウチナーンチュ
本土の人	ヤマトゥンチュ。ナイチャー
故郷	シマ
同郷の人	シマンチュ
万人	ウマンチュ
父	スー。ターリー
母	アンマー。アヤー
割り勘	ヌチャーシー
無料	イチャンダ
強情な人	ガージュー
酔っぱらい	イッチャー
げんこつ	メーゴーサー
大体（大概）	テーゲー
音痴	ヒジャイヌーディー
余計なこと	ウワーバグトゥ
労働交換のならわし	ユイマール
その日の最初の商売	ミーグチ
ひとりごと	ドゥーチュイムニー
一休み	ナカユクイ
離島苦	シマチャビ
めでたいこと（嘉例）	カリー。カリユシ
豊年（世果報）	ユガフー
あの世（後世）	グソー
おしゃべり	ユンタク
へそくり	ワタクシグヮー

近所	チケートゥナイ
忙しい	イチュナサン
すばらしい	チビラーサン
とても	イッペー
心が騒ぐさま	チムワサワサー
胸がドキドキするさま	チムドンドン
見ただけで怖じ気づく	ミーウジー
自然に。ひとりでに	ナンクル
ゆっくり	ヨーンナー
たまに	マルケーティナー
もう少し	ナークーテン
頑張れよ	チバリヨー
心配するな	シワーサンケー
まかしておけ	マカチョーケー
ムダに時間をつぶすこと	ヒマダーリー
何たることだ	ヌーヤルバーガー
懲らしめてやるぞ	タックルサリンドー
遊びにいらっしゃい	アシビガクーヨー
承知	ガッティン
拒否	ンパ
にぎやかにする	ハネーカスン
食べなさい〈噛め〉	カメー
つまずく	キッチャキ
疲れた	ウタトーン
腹を立てる	ワジワジー
手に負えなくなる	ヤマチッチャン
そうだな	アンスクトゥ

123

■われわれの母語、しまくとぅば……………………あとがきにかえて

　もう何十年も前のことである。国際通りから平和通りを抜け、与儀の農連市場まで足を伸ばした。農連市場は「ノーレン」と呼ばれていて、那覇市民にはなじみの場所である。盆正月になると、テレビや新聞は買い物客でごった返すノーレンのようすをよく紹介していた。

　農連市場の中に入り、夏の強い日差しを避けることができてほっとしたことを覚えている。地元の新鮮な野菜を眺めながらぶらぶしていると、不意に後ろの方から声がした。

「やふぁらーぐゎー　やいびーん　買ーてぃくぃみそーれー（柔らかいですよ、買ってください）」

　なんとも心地よい響きのしまくとぅばであった。そのゆるやかなことばに、思わず立ち止まって振り向いたものである。以来、しまくとぅばが聞こえると、声のする方へと近づき耳をそばだてるようになった。

　しまくとぅばとは「島の言葉」、すなわち沖縄の島々に伝えられてきたことばであり、琉球方言、琉球語などとよばれ、近年は琉球諸語とも総称されている。またウチナーグチとは、沖縄本島中南部や本島の周辺離島で話されることばのことである。

●しまくとぅばの分類

　沖縄に伝わるしまくとぅばは総括して琉球方言とよばれ、国語学者や言語学者は次のように分類している。

　琉球列島の北から南の特徴を捉えて、まず、奄美方言、沖縄方言、宮古方言、八重山方言、与那国方言と分類し、さらにこれら四つの諸島のことばを細分化している。例えば沖縄方言の場合は、沖縄北部方言と沖縄中南部方言に分けられ、宮古方言は宮古島方言、伊良部島方言、多良間島方言の三つ、八重山方言は石垣島方言から波照間島方言まで全部で八つのことばに分類されている。

このように琉球方言には、島ごとに、また集落ごとにさまざまなことばがあり、あまりの違いに目を白黒させることも少なくない。笑って泣ける沖縄芝居の定番「丘の一本松」で、良助の北谷方言とやんばるのおばあの備瀬方言とのやりとりがあるが、アクセントや語彙の違いからくる面白さで、どっと笑いが起こる場面になっている。

● 沖縄に残る古い日本語

日本語の方言は本土方言と琉球方言に大別されている。この琉球方言と本土方言が別々に分かれたのは、弥生時代から奈良時代にかけてのころであろうと考えられている。とすれば、はるかなる昔、沖縄と本土は同じことばを使っていたことになる。

沖縄には、本土では死語になってしまった日本祖語の古い大和言葉が、そのままの形もしくは多少変化しながら生き続けている例も少なくない。

高校時代、古文の教科書を開いていて「あれっ」と思ったことはないだろうか。筆者は教科書の脚注に驚かされた。何とそこには「しし（宍）…肉」「とじ（刀自）…妻」などのことばが注釈されていた。

なんと、高校の教科書にウチナーグチが出てきたのである。古文の先生はそれには触れず、筆者も確信が持てずにいたので誰にもそのことを告げなかったが、とても不思議であった。

沖縄のことばを調べると、死語となった古代の日本語が散見されるので、その内のいくつかを紹介しておきたい。

沖縄語	古　語	意　味
ナー	な（汝）	あなた
ナダ	なだ（涙）	なみだ
チュラ	きよら（清ら）	清らかで美しい
ヒル	ひる（蒜）	にんにく
マジムン	まじもの（蠱物）	魔物
ワラビ	わらは（童）	子ども
コチ	こち（東風）	東から吹く風

ここで紹介したのはごく一部であるが、言語学者によれば、日本の古語と琉球方言のつながりを取り出していくと、数限りなく出てくるという。大和言葉をもっとも多く含有するといわれる沖縄のことばは、まさに本土のことばとその源を同じくしていたのである。中央から遠くはなれた沖縄では、ことばの変化もゆるやかで、神代に近き時代のことばがいくつも残されたのであろう。

●古代の音・P音考

　P音考とは、1898 年（明治 31）に言語学者の上田萬年が論じたもので、日本語の「ハ行子音」は古代日本語では P 音であったという。それが奈良時代から江戸時代にかけて F 音から H 音へと変化してきたというのである。

　興味深いことに、沖縄には今でも 3 つの音が同時に分布していて、ことばの変化をうかがい知ることができる。古代の音である P 音は、沖縄本島北部、宮古、八重山地域のことばに残されているという。

　余談だが、北部出身の家に嫁いだ南部の人が、お姑さんから「ぴーちきれー（火をつけなさい）」といわれ、「ピー」の意味が分からず怪訝そうな顔をしていたら、さんざん嫌みをいわれたらしい。

　笑い話のような話だが、本人は中南部にはない P 音がわかるようになるまで、さぞかし苦労したことであろう。「火」は「ぴー、ふぃー、ひー」と変化したのである。

●しまくとぅばとアイデンティティー

　独立王国としての長い歴史と文化を持ち、それらの表現手段として今に伝わるしまくとぅばは、われわれの母語であり、先祖から受け継いだ沖縄人というアイデンティティーの根幹をなすものである。

　那覇市文化協会（うちなーぐち部会）の活動方針には、しまくとぅばの現況と重要性が端的に要約されており、全文を紹介することでしまくとぅばを考える一助にしたい。

「かつて沖縄は琉球王国として独自の文化を形成してきた。その基層をなすのは、琉球諸語（しまくとぅば・うちなーぐち）である。

　明治の廃藩置県以降、皇民化・日本人教育が行われ、うちなーぐちは方言として排斥された。しかし言語は民族にとってアイデンティティーの根幹・基層をなすものである。その大切な琉球諸語が消滅の危機にあるとしたユネスコの指摘を待つまでもなく、県民自身が危機感を抱いている。うちなーぐち部会は、琉球諸語の保存継承を目的に活動する。」

　「はじめに」でも述べたが、各地に伝承されてきたしまくとぅばは、地域の伝統行事、祭り、料理、芸能など沖縄固有の文化の礎であり、土地のことばを失うことは沖縄人としてのアイデンティティーを失うことでもある。まさに「生まり島ぬ　言葉　忘りーねー　国ん　忘りゆん」であり、われわれの母語を守り通さねば、自分が何者なのかわからなくなり、大切な伝統文化の継承も不可能になってしまう。

　近年、ウチナーグチによる看板やコピーが目立つようになってきた。生まれ育った土地のことばには、何ともいえない味わいがあり、ウチナーグチを残そうとする動きも活発だ。確かに標準語だけではよそよそしさが出てくる場合があるし、説教臭くなることもある。ウチナーグチには、標準語では表現しがたいことばがたくさんあり、思わずふき出したり、胸を打たれたりするのは土地のことばのもつ温かさなのであろう。沖縄を代表する詩人、山之口貘の「弾を浴びた島」という詩の中にウチナーグチが出てくるが、やはり親しみをおぼえる。

　この本は学術的なものではなく、日常会話に一言でもウチナーグチをとの願いから生まれた。したがって、知っていると便利な決まり文句や単語をできるだけ紹介するように心がけた。肩の凝らない入門書として活用していただければ幸いである。

　さあ、あまり細かいことにはこだわらず、勇気をもってウチナーグチを楽しみましょう。

著者／徳元英隆（とくもと・ひでたか）
1951年沖縄県国頭村に生まれる。沖縄国際大学卒。学校教材の出版社
や雑誌社を経て沖縄文化社編集長。
おもな著書に『沖縄の由来ばなし』『おきなわの怪談』『シーサーあい
らんど』（共著）『沖縄の伝説散歩』（共著）がある。

●おもな参考文献
『沖縄語辞典』（国立国語研究所）　　　　　　　　　財務省印刷局
『沖縄大百科事典』（沖縄大百科事典刊行事務局）　　沖縄タイムス社
『黄金言葉』（仲村優子）　　　　　　　　　　　　　琉球新報社
『沖縄おもしろ方言事典』（沖縄雑学倶楽部）　　　　南風社
『日常会話のウチナーグチ 6500』（玉城雅巳／編）　　南風社
『ひとことウチナーグチ』（沖縄文化社／編）　　　　沖縄文化社
『楽しいウチナーグチ』（監修／儀間進　沖縄文化社／編）沖縄文化社
『沖縄ことわざの窓』（儀間進）　　　　　　　　　　沖縄文化社
『ウチナーグチ入門』（沖縄文化社／編）　　　　　　沖縄文化社

よくわかるウチナーグチ

2020年8月15日　初版 第1刷発行
2022年7月30日　2版 第1刷発行

著　者……徳元 英隆
発行者……徳元 英隆
発行所……有限会社 沖縄文化社
〒902-0062　那覇市松川 2-7-29
☎ 098-855-6087
Ⓕ 098-854-1396
振替　02070-1-24874
http://www.okibunsha.co.jp

印刷所……株式会社 東洋企画印刷